Jacques
Vol.II

George Sand

Edition : Culturea (culurea.fr), 34 Hérault
Contact : infos@culturea.fr
Impression : BOD, Norderstedt (Allemagne)
ISBN :9791041833719
Date de publication : juillet 2023
Mise en page et maquettage : https://reedsy.com/
Cet ouvrage a été composé avec la police Bauer Bodoni

Jacques Vol.II

XIX.

DE FERNANDE A CLEMENCE

SaintLéon en Dauphine, le....

Pardonnemoi, mon amie, d'avoir passé un mois sans t'écrire. C'est bien mal de ma part, et tu as raison de me gronder. Oui, il est bien vrai que je t'ai accablée de mes lettres quand j'étais tourmentée, quand j'avais besoin de tes conseils et de tes consolations! Et maintenant que je suis heureuse, je te délaisse. L'amour est égoïste, distu, il n'appelle l'amitié à son secours que lorsqu'il souffre; j'ai agi du moins comme si cela était inévitable, j'en suis toute honteuse, et je t'en demande Pardon.

Pour réparer ma faute; ce que je puis faire de mieux, c'est de répondre à toutes tes questions, et de te prouver ainsi que je ne t'ai rien retiré de ma confiance; mais si je reviens à toi, n'en conclus pas, malicieuse, que ma lune de miel est finie; tu vas voir que non.

Si j'aime toujours mon mari autant que le premier jour? Oh! certainement, Clémence, et même je puis dire que je l'aime bien plus. Comment pourraitil en être autrement? Chaque jour me révèle une nouvelle qualité, une nouvelle perfection de Jacques. Sa bonté pour moi est inépuisable, sa tendresse, délicate comme celle d'une bonne mère pour son enfant. Aussi chaque jour me force à l'aimer plus que la veille. A cette félicité du coeur, à ces joies de l'amour heureux et satisfait, se joignent pour moi mille petites jouissances qu'il y a peutêtre de la puérilité à mentionner, mais qui sont trèsvives, parce qu'elles m'étaient absolument inconnues. Je veux parler du bienêtre de la richesse, qui succède pour moi à une vie d'économie et de privations. Je ne souffrais pas de cette médiocrité, j'y étais habituée; je ne désirais pas devenir riche, je ne songeais pas plus à la fortune de Jacques, en l'épousant, que si elle n'eût pas existé; pourtant je ne crois pas qu'il y ait de la bassesse à m'apercevoir des avantages qu'elle procure et à savoir en jouir. Ces plaisirs journaliers, ce luxe, ces mille petites profusions dont je suis entourée, me seraient aussi amers qu'ils me sont précieux, si je les devais à un contrat avilissant, ou si je les recevais d'une main orgueilleuse et détestée; mais recevoir tout cela de Jacques, c'est en jouir deux fois! Il y a tant de grâce, je pourrais même dire de gentillesse dans ses dons et dans ses prévenances! Il semble que cet homme soit né pour s'occuper du bonheur d'autrui, et qu'il n'ait pas d'autre affaire dans la vie que de m'aimer.

Tu me demandes si cette vie de château me plaît, si je ne m'en dégoûterai pas, si la solitude ne m'effraie point. La solitude! quand Jacques est avec moi! Ah! Clémence, je le vois bien, tu n'as jamais aimé. Pauvre amie, que je te plains! tu n'as pas connu ce qu'il y a de plus beau dans la vie d'une femme. Si tu avais aimé, tu ne me demanderais pas si je me trouve isolée, si j'ai besoin des plaisirs et des distractions de mon âge; mon âge est fait pour aimer, Clémence, et il me serait impossible de me plaire à quelque chose qui fût étranger à mon amour. Quant aux amusements que je partage avec Jacques, je les aime et je les ai à discrétion; j'en ai même plus que je ne voudrais, et souvent j'aimerais mieux rester seule avec lui à parcourir tranquillement les allées de notre beau jardin, que de monter à cheval et de courir les bois à la tête d'une armée de piqueurs et de chiens. Mais Jacques a tellement peur de ne pas me divertir assez! Brave Jacques, quel amant! quel ami!

Tu veux des détails sur mon habitation, sur le pays, sur l'emploi de mes journées; je ne demande pas mieux que de te raconter tout cela, ce sera te parler de tous les bonheurs que je dois à mon mari.

Quand je suis arrivée ici, il était onze heures du soir; j'étais trèsfatiguée du voyage, le plus long que j'aie fait de ma vie. Jacques fut presque forcé de me porter de la voiture sur le perron. Il faisait un temps sombre et beaucoup de vent; je ne vis rien que quatre ou cinq grands chiens qui avaient fait un vacarme épouvantable autour des roues de la voiture pendant que nous entrions dans la cour, et qui vinrent se jeter sur Jacques en poussant des hurlements de joie, dès qu'il eut mis pied à terre. J'étais tout épouvantée de voir ces grandes bêtes danser ainsi autour de moi. «N'en aie pas peur, me dit Jacques, et sois bonne pour mes pauvres chiens. Quel est l'homme qui donnerait de semblables témoignages de joie à son meilleur ami, en le retrouvant après une absence de quelques mois?» Je vis ensuite arriver une procession de domestiques de tout âge qui entourèrent Jacques d'un air à la fois affectueux et inquiet. Je compris que mon arrivée causait beaucoup d'anxiété à ces braves gens, et que la crainte des changements que je pourrais apporter au régime de la maison balançait un peu le plaisir qu'ils pouvaient éprouver à voir leur bon maître. Jacques me conduisit à ma chambre, qui est meublée à l'ancienne mode avec un grand luxe. Avant de me coucher, je voulus jeter un regard sur les jardins, et j'ouvris ma fenêtre; mais l'obscurité m'empêcha de distinguer autre chose que d'épaisses masses d'arbres autour de la maison et une vallée immense au delà. Un parfum de fleurs monta vers moi. Tu sais comme j'aime les fleurs, et tout ce qui me passe par la tête quand je respire une rose; ce vent tout chargé de senteurs délicieuses me fit éprouver je ne sais quel tressaillement de joie; il me sembla qu'une voix me disait: «Tu seras heureuse ici.» J'entendis Jacques qui parlait derrière moi; je me retournai, et je vis une grande jeune fille de seize ou dixhuit ans, belle comme un ange et vêtue à la manière des paysannes du Dauphiné, mais avec beaucoup d'élégance, «Tiens, me dit Jacques, voilà ta soubrette; c'est une bonne enfant qui fera son possible pour te bien servir. C'est ma filleule, elle s'appelle Rosette.» Cette Rosette, qui a une figure si intelligente et si bonne, et qui me baisait la main d'un petit air caressant et respectueux, fut pour moi une autre circonstance de bon augure. Jacques nous laissa ensemble et alla s'occuper de payer les postillons. Quand il revint, j'étais couchée. Il me demanda la permission de se faire apporter le café dans ma chambre; pendant que Rosette le lui versait, je m'endormis doucement. Je vivrais cent ans que je ne pourrais oublier cette soirée, où pourtant il ne s'est rien passé que de trèsordinaire et de trèsnaturel. Mais quelles idées riantes, quel sentiment de bienêtre ont bercé ce premier sommeil sous le toit de Jacques! Je puis bien dire que je me suis endormie dans la confiance de mon destin. La fatigue même du voyage avait quelque chose de délicieux; je me sentais accablée, et je n'avais la force de penser à rien; mes yeux étaient encore ouverts et ne cherchaient plus à se rendre compte de ce qu'ils voyaient, mais n'étaient frappés que d'images agréables. Ils erraient des rideaux de soie à franges d'argent de mon lit à la figure toujours si belle et si sereine de mon Jacques, et de la tasse de porcelaine du Japon, où il prenait un café embaumé, à la grande taille élégante de Rosette, dont l'ombre se dessinait sur une boiserie d'un travail merveilleux. La clarté rose de la lampe, le bruit du vent au dehors, la douce chaleur de l'appartement, la mollesse de mon lit, tout cela ressemblait à un conte de fée, à un rêve d'enfant. Je m'assoupissais et me réveillais de temps en temps pour me sentir bercée par le bonheur; Jacques me disait avec sa voix douce et affectueuse: «Dors, mon enfant, dors bien.» Je m'endormis en effet, et ne me réveillai que le lendemain à huit heures. Jacques était déjà levé depuis longtemps; assis auprès de mon lit, comme la veille, il me regardait dormir, et vraiment je ne sus pas d'abord s'il s'était passé une nuit ou un quart d'heure depuis le dernier baiser qu'il m'avait donné. «Ah! mon Dieu! quel bon lit! m'écriaije; je veux me lever bien vite, et voir ce beau château où l'on dort si bien. Quel temps faitil, Jacques? Tes fleurs sententelles aussi bon ce matin qu'hier soir?» Il m'enveloppa dans mon couvrepied de satin blanc et rose et me porta auprès de la fenêtre. Je jetai un cri de joie et d'admiration à la vue du sublime aspect déployé sous mes yeux. «Aimestu ce pays? me dit Jacques. Si tu le trouves trop sauvage, j'y ferai bâtir des maisons; mais, quant à moi, j'aime tant les lieux déserts, que j'ai acheté cinq ou six petites propriétés éparses çà et là, afin d'enlever de ce point de vue les habitations qui, pour moi, le déparaient. Si tu n'es pas du même goût, rien ne sera plus facile que de semer cette vallée de maisonnettes et de jardins; je ne manquerai pas, pour la peupler, de familles pauvres, qui y feront prospérer leurs affaires et les nôtres.Non, non, lui disje, tu es assez riche pour secourir toutes les familles que tu voudras sans contrarier tes goûts et les miens. Cet aspect sauvage et romantique me plaît à la folie; ces grands bois sombres semblent n'avoir jamais plié leur libre végétation à la culture; ces prairies immenses doivent ressembler à des savanes; cette petite rivière, avec son cours désordonné, vaut mieux qu'un beau fleuve. Ah! ne changeons rien aux lieux que tu aimes. Comment auraisje d'autres goûts que les tiens? Croistu donc que j'aie des yeux à moi?» Il me pressa sur son coeur en s'écriant: «Oh! premier temps de l'amour! oh! délices du ciel! puissiezvous ne finir jamais!»

Il m'a fallu plus de huit jours pour voir toutes les beautés de cette maison et des alentours. Cette terre a appartenu à la mère de Jacques; c'est là qu'il a passé ses premières années, et c'est son séjour de prédilection. Il a un pieux respect pour les souvenirs que ce lieu lui retrace, et il me remercie tendrement de partager ce respect, et de ne désirer aucun changement ni dans les choses ni dans les gens dont il est entouré. Bon Jacques! quel monstre stupide il faudrait être pour lui demander de pareils sacrifices!

Dès le lendemain de notre arrivée, il m'a présenté les vieux serviteurs de sa mère et ceux plus jeunes qui lui sont attachés depuis plusieurs années. Il m'a dit les infirmités des uns et les défauts des autres, en me priant d'avoir quelque patience avec eux, et d'être aussi indulgente qu'il me serait possible de l'être, sans m'imposer de réelles contrariétés. «Sois sûre, m'atil dit, que je ne mettrai jamais en balance le bienêtre de ta vie domestique et le plaisir de conserver autour de moi ces visages auxquels le temps et l'habitude m'ont attaché. Il me sera toujours facile de les éloigner de ta vue s'ils t'importunent, sans les abandonner à la misère et sans qu'ils aient le droit de te maudire; mais si ton repos peut ne pas souffrir de leur présence, si je puis accorder ta satisfaction et la leur, je serai plus heureux. Désirestu mon bonheur, Fernande?» atil ajouté avec un doux sourire. Je me suis jetée dans ses bras, je lui ai juré d'aimer tout ce qu'il aime, de protéger tout ce qu'il protège; je l'ai supplié de me dire tout ce que j'avais à faire pour ne lui causer jamais l'ombre d'un chagrin.

Si tu veux savoir comment se passent nos journées, je te dirai que je le sais à peine quant à ce qui me concerne, mais que Jacques a continuellement quelque chose d'utile à faire. La conduite de ses biens l'occupe Sans l'absorber. Il a su s'entourer d'honnêtes gens, et il les surveille sans les tourmenter. Il a pour système une stricte équité; l'incurie d'une générosité romanesque ne l'éblouit pas; il dit que celui qui se laisse dépouiller ne peut plus avoir ni mérite ni plaisir à donner, et que celui qui à trouvé l'occasion de voler, et qui en a profité, est plus à plaindre que s'il s'était ruiné. Jacques est grand et libéral, son coeur est plein de justice, et il regarde comme un devoir de soulager la misère d'autrui; mais sa fierté se refuse à être dupe des impostures dont les pauvres se servent comme de gagnepain, et il est dur et implacable envers ceux qui veulent spéculer sur sa sensibilité. Je suis bien loin d'avoir le même discernement que lui, et souvent je me laisse tromper. Jacques ne s'occupe pas de cela, ou, s'il s'en aperçoit, il entre apparemment dans ses idées de ne pas me réprimander et même de ne pas m'avertir. Quelquefois j'en suis un peu mortifiée, et j'ai presque des remords d'avoir mal employé l'or précieux qui peut soulager tant de réelles infortunes.

Je m'occupe de ces choseslà aux heures où Jacques est occupé ailleurs. Quand nous nous retrouvons, nous faisons de la musique ou nous sortons ensemble; Jacques fume ou dessine chaque fois que nous nous asseyons; pour moi, je le regarde, et je puis dire que cette espèce d'extase est la principale occupation de ma journée. Je m'abandonne avec délices à cette heureuse indolence, et je crains presque les plaisirs qui peuvent m'en arracher. Il est si bon d'aimer et de se sentir aimé! La durée des jours est trop bornée pour épuiser ce qu'il y a dans le coeur d'enthousiasme et de joie. Que m'importe de cultiver le peu de talents que j'ai ou d'en acquérir de nouveaux? Jacques en a pour nous deux, et j'en jouis comme s'ils m'appartenaient. Quand un beau site me frappe, il m'est bien plus doux de le trouver dans mon album, retracé par la main de Jacques, que par la mienne. Je ne désire pas non plus former et orner mon esprit: Jacques se plaît à ma simplicité; et lui, qui sait tout, m'en apprendra certainement plus en causant avec moi que tous les livres du monde. Enfin je suis contente de l'arrangement de ma vie; tant de bonheurs m'environnent, qu'il m'est impossible de souhaiter quelque chose de mieux ordonné. Jacques est un ange; et ne t'avise plus de dire, Clémence, que je me trompe ou qu'il changera, car à présent je le connais et je le défendrai.

Adieu, ma bonne amie; tu dois être heureuse de mon bonheur, tu as eu tant d'inquiétude pour moi! A présent sois tranquille et félicitemoi. Donnemoi souvent de tes nouvelles, et sois sûre que je ne le négligerai plus. Il faut pardonner quelque chose à l'enivrement des premiers jours.

P. S. J'ai reçu une lettre de ma mère; elle est encore au Tilly, et ne retournera à Paris qu'à l'entrée de l'hiver. Elle me demande si je suis contente de Jacques, et s'effraie aussi de la solitude où il m'a emmenée. Je ne lui ai pas répondu, comme à toi, que l'amour remplissait cette solitude et me la faisait chérir; elle aurait trouvé cela fort inconvenant. Je lui ai parlé des avantages qu'elle estime, des beaux chevaux que Jacques me donne et des grandes chasses qu'il organise pour moi, des vastes jardins où je me promène, des fleurs rares et précieuses dont regorge la serre chaude, et des présents dont mon mari me comble tous les jours. Avec tout cela, elle ne pourra plus supposer que je ne sois pas heureuse.

XX.

DE JACQUES A SYLVIA.

Je m'abandonne comme un enfant aux délices de ces premiers transports de la possession, et ne veux pas prévoir le temps où j'en sentirai les inconvénients et les souffrances; quand il viendra, n'auraije pas la force de l'accepter? Estil nécessaire de passer les heures de repos que le ciel nous envoie à se préparer pour la fatigue à venir? Quiconque a aimé une fois sait tout ce qu'il y a dans la vie de douleur et de joie, n'estce pas, Sylvia?

Ce que tu demandes est bien antipathique à mon caractère et à l'habitude de toute ma vie. Raconter une à une toutes les émotions de ma vie présente, jeter tous les jours un regard d'examen sur l'état de mon coeur, me plaindre du mal que j'endure et me vanter du bien qui m'arrive, me surveiller, me chérir, me révéler ainsi, c'est ce que je n'ai jamais songé à faire. Jusqu'ici, mes amours ont été cachées, mes joies silencieuses; je ne t'ai raconté mes plaisirs que quand je les avais perdus, et mes chagrins que lorsque j'en étais guéri; encore j'ai cru faire en cela un grand acte de confiance et d'épanchement; car, avec toute autre créature humaine, je m'en sentais absolument incapable, et nul n'a obtenu de ma bouche l'aveu des événements les plus évidents de ma vie morale. Cette vie était si agitée, si terrible, que j'aurais craint de perdre mes rares bonheurs en les racontant, ou d'attirer sur moi l'oeil du destin, auquel j'espérais dérober furtivement quelques beaux jours.

Cependant je ne sens plus la même répugnance, aujourd'hui, à briser le sceau de ce nouveau livre où mon dernier amour doit être inscrit. Il me semble même, comme à toi, que cette connaissance exacte et détaillée de tout ce qui se passera en moi me sera salutaire et me préservera de ces inexplicables dégoûts dont l'amour est rempli. Peutêtre qu'étudiant le mal dans sa cause, j'en préviendrai le développement; peutêtre qu'en observant avec attention les secrètes altérations de nos âmes, je saurai forcer les petites choses à ne point acquérir une valeur exagérée, comme il arrive toujours dans l'intimité. J'essaierai de conjurer la destinée; si cela est impossible, j'accepterai du moins mes défaites avec le stoïcisme d'un homme qui a passé sa vie à chercher la vérité et à cultiver l'amour de la justice au fond de son coeur.

Mais, avant de commencer ce journal, il convient que je te dise d'où je pars, quel est l'état de mon âme et comment j'ai arrangé ma vie présente. Tu sais que j'ai entraîné Fernande au fond du Dauphiné pour l'éloigner bien vite de sa mère, femme méchante et dangereuse qui me hait particulièrement, qui m'a lâchement adulé tant qu'elle a désiré me voir assurer la fortune de sa fille, et qui a commencé à me braver aussitôt qu'elle n'a plus rien redouté à cet égard. Pauvre femme! si elle savait comme d'un mot je pourrais la faire pâlir! Mais je ne descendrai jamais jusqu'à combattre avec les méchants. Je savais qu'elle ne manquerait pas d'une certaine habileté pour gâter le jugement de sa fille sur mon compte et pour empoisonner notre bonheur par mille petites tracasseries d'une terrible importance. J'ai donc enlevé ma compagne le jour même de mon mariage; par là je me suis soustrait à tout ce que la publicité imbécile d'une noce a d'insolent et d'odieux. Je suis venu ici jouir mystérieusement de mon bonheur, loin du regard curieux des importuns; j'ai trouvé inutile, du moins, de mettre la pudeur de ma femme aux prises avec l'effronterie des autres femmes et le sourire insultant des hommes. Nous n'avons eu que Dieu pour témoin et pour juge de ce que l'amour a de plus saint, de ce que la société a su rendre hideux ou ridicule.

Depuis un mois rien encore n'a altéré notre bonheur; il n'est pas tombé le plus petit grain de sable dans le sein de ce lac uni et limpide; penché sur son onde transparente, je contemple avec extase le ciel qui s'y réfléchit; attentif à la plus légère perturbation qui pourrait le menacer, je suis sur mes gardes pour que le grain de sable n'entraîne pas une avalanche. Et pourtant je ne saurais beaucoup me tourmenter; que peut la prudence humaine contre la main toutepuissante du destin? Tout ce que je puis tenter et espérer, c'est de ne pas perdre par ma faute le trésor que Dieu me confie; s'il doit m'être retiré, cette certitude du moins me consolera, que je n'ai pas mérité de le perdre.

Et puis à présent, toutes les prévisions, toutes les craintes de ce monde me font un peu sourire. Qu'estce qui peut arriver de pis à un honnête homme? d'être forcé de mourir? Qu'estce que cela, je te le demande? Je ne vois pas que la certitude de mourir un jour empêche personne de jouir de la vie. Pourquoi la crainte du malheur futur nuiraitelle à mon bonheur présent?

Ce n'est pas que l'occasion de souffrir ne se soit déjà présentée à moi, et certainement j'en aurais profité dans ma jeunesse, alors qu'avide d'une félicité impossible, j'avais l'ambitieuse folie de demander des cieux sans nuages et des amours sans déplaisirs; ce besoin inconcevable qui entraîne l'homme à exercer sa sensibilité quand elle est toute neuve et surabondante, n'existe plus chez moi. J'ai appris à me contenter de ce que je dédaignais, à me soumettre aux contrariétés contre lesquelles je me serais révolté autrefois. Il m'est impossible de ne pas sentir la piqûre des chagrins journaliers; mon coeur n'est pas encore pétrifié, et je crois au contraire qu'il n'a jamais été plus véritablement ému. Heureusement la raison m'a appris à étouffer la légère convulsion que produit la blessure, à ne pas mettre au jour par un mot, par une plainte, par un geste, cet embryon de souffrance qui éclot et meurt si aisément, mais qui se développe si vite et qui grossit d'une manière si effrayante quand on le laisse essayer ses forces et briser sa prison. Puisse mon âme servir de cercueil à tous ces songes pénibles qui la tourmentent encore! Puisseje ne pas me trahir par un signe extérieur de souffrance! Entre amants la douleur est sympathique, et le premier qui l'éprouve et ne sait pas la recéler la communique à l'autre, même sans la lui expliquer.

Adieu pour aujourd'hui, ma soeur chérie. À présent, nous sommes presque voisins; j'irai te voir certainement; et, quoi que tu en dises, je n'abandonne pas le projet de te faire connaître Fernande et de t'attirer auprès de nous.

XXI.

DE FERNANDE A CLÉMENCE.

Je ne sais pas ce que Jacques a depuis deux jours, il me semble qu'il est triste, et cela me rend si triste moimême, que je viens causer avec toi pour me distraire et me consoler. Qu'estce que peut avoir Jacques? quels chagrins peuvent l'atteindre auprès de moi? Il me serait impossible, pour ma part, de me réjouir ou de m'attrister d'une chose qui n'aurait pas rapport à lui; il est vrai que, hors de lui, ma vie se réduit à si peu! Je n'existe réellement que depuis trois mois, et Jacques a dû horriblement souffrir avant d'arriver à l'âge qu'il a. Peutêtre aussi atil été plus heureux qu'il ne l'est avec moi; peutêtre quelquefois, dans mes bras, regrettetil le temps passé. Oh! cette idée est affreuse; je veux l'éloigner bien vite!

Mais qui peut l'attrister ainsi? et pourquoi ne me le ditil pas? je n'ai pas de secrets, moi! et lui, il en a certainement. Il a dû se passer tant de choses extraordinaires dans sa vie! Saistu, Clémence, que cette idée me fait souvent frissonner? Une femme ne connaît pas son mari en l'épousant, et c'est une folie de penser qu'elle le connaîtra en vivant avec lui. Il y a derrière eux un grand abîme où elle ne peut descendre, le passé, qui ne s'efface jamais et qui peut empoisonner tout l'avenir! Quand je songe qu'il y a trois mois, je ne savais pas encore ce que c'était qu'aimer, et que, depuis vingt ans peutêtre, Jacques n'a pas fait autre chose! Tout ce qu'il me dit de tendre et d'affectueux, il l'a peutêtre dit à d'autres femmes; ces caresses passionnées... Ah! quelles horribles images me passent devant les yeux! je me sens un peu folle aujourd'hui, en vérité...

Je viens de me mettre à la fenêtre pour me distraire de ces agitations, j'ai vu Jacques traverser une allée et s'enfoncer dans le parc: il avait les bras croisés sur la poitrine et la tête penchée en avant, comme s'il eût été absorbé par une méditation profonde. Mon Dieu! je ne l'ai jamais vu ainsi. Il est bien vrai que son humeur est grave, que la douceur de son caractère tourne un peu à la mélancolie, que son maintien est plutôt rêveur que sémillant; mais il a aujourd'hui sur le visage quelque chose d'inaccoutumé, je ne saurais dire quoi; peutêtre un peu plus de pâleur. Il aura eu quelque mauvais rêve, et comme il me sait superstitieuse, il n'aura pas voulu m'en parler; si ce n'est que cela, il aurait mieux fait de me le raconter que de m'exposer aux inquiétudes que j'éprouve. Peutêtre estil malade! Oh! je parie que oui! On m'a dit qu'il n'aimait pas à être observé dans ces momentslà; cependant je l'ai déjà vu malade une fois, je m'en suis aperçue à cette petite chanson dont je t'ai parlé; je l'ai interrogé et il m'a répondu qu'il était un peu souffrant, et qu'il me priait de ne pas m'en occuper. S'il a souffert peu ou beaucoup ce jourlà, c'est ce que je ne puis savoir; je craignais tant de le contrarier que je n'ai pas osé le regarder. Le fait est qu'il n'y a guère paru à son humeur, et que maintenant le malaise, soit physique, soit moral, qu'il éprouve, est tout à fait visible. Hier soir il m'a semblé qu'il m'embrassait un peu froidement; j'ai mal dormi, et, m'étant éveillée au milieu de la nuit, j'ai vu de la lumière dans sa chambre. J'ai tremblé qu'il ne fût indisposé; mais, craignant encore plus de lui être importune, je me suis levée sans bruit et j'ai été sur la pointe du pied regarder par la fente de sa porte; il lisait en fumant. Je suis venue me recoucher, un peu rassurée, mais triste de voir qu'il ne dormait pas. Je suis si nonchalante et si enfant que, malgré ma tristesse, je me suis rendormie tout de suite. Pauvre Jacques! il a des insomnies, il souffre peutêtre beaucoup, il s'ennuie sans doute durant ces longues nuits si tristes! Pourquoi ne m'appelletil pas? Je surmonterais certainement mon sommeil avec joie, je causerais avec lui, ou je lui ferais la lecture pour le distraire. Je devrais peutêtre le prier de me laisser veiller avec lui; je n'ose pas. C'est extraordinaire; j'ai découvert ce matin que je crains Jacques presque autant que je l'aime; je n'ai jamais eu le courage de lui demander ce qu'il avait. Ce que les Borel m'ont dit de ses singulières fiertés n'est pas sorti de mon esprit, malgré tout ce qui aurait dû me le faire oublier, ou me persuader, du moins, que Jacques ne les aurait pas avec moi. Je devrais peutêtre vaincre celle timidité, et le conjurer de me confier sa souffrance; car je ne suis pas de ceux qu'elle peut ennuyer, et je ne vois pas qu'il ait besoin de se fatiguer à faire du stoïcisme avec moi. Mon silence lui fait peutêtre croire que je ne m'aperçois de rien. Ah! alors quelle idée doitil avoir de ma grossière insouciance! Je ne puis la lui laisser. Il faut que j'aille le trouver tout de suite, n'estce pas, Clémence? Oh! mon Dieu, que n'estu ici! toi qui as tant de prudence et un jugement si délié, tu me conseillerais. A défaut de la voix de la raison et de l'amitié, j'écoute celle de mon coeur et je m'y abandonne; je vais rejoindre Jacques dans le parc, et le conjurer à genoux, s'il le faut, de m'ouvrir son coeur. Je reviendrai te dire ce qu'il a et fermer ma lettre.......

Eh bien, mon amie, j'étais folle et j'avais fait moimême un mauvais rêve; pardonnemoi de t'avoir importunée de cette terreur puérile. J'ai été trouver Jacques; il était couché sur l'herbe et il sommeillait. Je me suis approchée de lui si doucement qu'il ne s'en est pas aperçu, et je suis restée quelques instants, penchée sur lui, à le contempler. J'avais sans doute une expression d'anxiété sur la figure, car à peine éveillé, il a tressailli et s'est écrié en jetant ses bras autour de moi: «Qu'astu donc?» Alors je lui ai avoué naïvement toutes mes inquiétudes et tout mon chagrin. Il m'a embrassée en riant et m'a assuré que je m'étais absolument trompée. «Il est bien vrai, m'atil dit, que je n'ai pas dormi beaucoup cette nuit; j'étais un peu souffrant et je me suis mis à lire.Et pourquoi ne m'astu pas éveillée? lui aije dit.Estce qu'on s'éveille à ton âge? atil répondu.Savezvous, Jacques, que vous me traitez en petite fille?Oh! grâce à Dieu, je te traite comme tu le mérites, s'estil écrié en me pressant contre son coeur, et c'est parce que tu es une enfant que je t'adore.» Làdessus il m'a dit tant de choses délicieusement bonnes, que je me suis mise à pleurer de joie. Tu vois si j'avais sujet de me tourmenter! mais je ne regrette pas d'avoir un peu souffert; je n'en sens que plus vivement le bonheur que j'avais laissé s'altérer et que je ressaisis dans toute sa fraîcheur. Oh! Jacques avait bien raison: il n'est rien de plus précieux et de plus sublime que les larmes de l'amour.

Adieu, ma chère Clémence; réjouistoi encore avec moi; je suis plus heureuse aujourd'hui que je ne l'ai jamais été.

XXII.

DE JACQUES A SYLVIA.

Depuis quelques jours nous sommes tristes sans savoir pourquoi; tantôt c'est elle, tantôt c'est moi, tantôt tous deux ensemble. Je ne me fatigue pas à en chercher la raison; ce serait pire. Nous nous aimons et nous n'avons pas le plus léger tort l'un envers l'autre. Nous ne nous sommes blessés par aucune action, par aucune parole. Avoir l'humeur mélancolique un jour plus qu'un autre est une chose si simple! Un ciel pluvieux, un degré de froid de plus dans l'atmosphère, suffisent pour rembrunir les idées. Mon vieux corps criblé de blessures est plus disposé qu'un autre à la souffrance; la jeune tête active et inquiète de Fernande est prompte à se tourmenter de la moindre altération dans mes manières. Quelquefois cette vive sollicitude me chagrine un peu; elle me poursuit, elle m'oppresse, elle me tient en arrêt et me force à m'observer et à me contraindre. Comment pourraisje m'en offenser? Cette espèce de fatigue qu'elle m'impose est douce en comparaison de l'horrible isolement où je vivais quand j'ai connu Fernande, et où j'ai souvent consumé les plus belles années de ma vie dans un stoïcisme insensé. Si elle devait souffrir réellement de mes souffrances, je regretterais le temps où elles ne retombaient que sur moi; mais j'espère que je saurai l'accoutumer à me voir un peu triste et préoccupé sans se tourmenter.

Fernande a toute l'adorable puérilité de son âge. Qu'elle est belle et touchante quand elle vient avec ses cheveux blonds en désordre, et ses grands yeux noirs tout pleins de grosses larmes, se jeter dans mes bras et me dire qu'elle est bien malheureuse, parce que je lui ai donné un baiser de moins que la veille! Elle ne sait pas ce que c'est que la douleur, elle s'en effraie à l'excès; et vraiment Fernande m'effraie quelquefois moimême. Je crains qu'elle n'ait pas la force de supporter la vie. Je suis un peu incertain de ce que je dois lui dire pour l'habituer au courage. Il me semble que c'est un crime ou du moins un acte de raison cruelle, que de répandre les premières gouttes de fiel dans ce coeur si plein d'illusions; et pourtant il viendra un moment où il faudra lui révéler ce que c'est que la destinée de l'homme. Comment résisteratelle au premier éclair? Puisseje lui cacher longtemps cette funeste lumière!

Je viens de recevoir une nouvelle qui me fait beaucoup de mal; cet ami dont je t'ai parlé est de nouveau en fuite. Les sacrifices que j'ai faits pour lui, loin de le sauver, l'ont replongé dans le désordre. A présent, son déshonneur ne peut plus être masqué, son nom est souillé, sa vie perdue; là, comme partout où j'ai passé, j'ai travaillé en vain. Voilà donc à quoi sert l'amitié, et ce que peut le dévouement! Non, les hommes ne peuvent rien les uns pour les autres; un seul guide, un seul appui leur est accordé, et il est en euxmêmes. Les uns l'appellent conscience, les autres vertu; je l'appelle orgueil. Cet infortuné en a manqué; il ne lui reste que le suicide. La calomnie n'atteint et ne déshonore personne, le temps ou le hasard en fait justice; mais une bassesse ne s'efface pas. Avoir donné sur soi à un autre homme le droit du mépris, c'est un arrêt de mort en cette vie; il faut avoir le courage de passer dans une autre en se recommandant à Dieu.

Mais il n'aura pas même cet orgueillà, je le connais, c'est un esprit corrompu et avili par l'amour du plaisir. Sa vanité seule le fera souffrir; mais la vanité ne donne de courage à personne; c'est un fard que le moindre souffle fait tomber, et qui ne résiste pas à l'air de la solitude.

Cette destinée, qu'un instant je m'étais flatté d'avoir réhabilitée par mes reproches et par mes services, est donc tombée plus bas qu'auparavant! Encore un homme dont la vie est manquée, et que personne, excepté moi peutêtre, ne plaindra. Quand je me rappelle les temps heureux que j'ai passés avec lui, lorsqu'il était jeune, et que ni lui ni personne ne pensait que ce beau visage riant et ce caractère vif et joyeux pussent servir d'enveloppe à l'âme d'un lâche! Il avait une mère qui le chérissait, des amis qui se fiaient à lui; et à présent!... Si je n'étais pas marié, je courrais après lui, j'essaierais encore de le relever; mais cela ne servirait à rien, et Fernande souffrirait trop de mon absence. Pauvre homme! je suis triste à la mort; je veux pourtant cacher cette tristesse, qui se communiquerait bien vite à ma pauvre enfant. Non, je ne veux pas voir ce beau front se rembrunir encore; je ne veux pas couvrir de larmes ces joues si fraîches et si veloutées. Qu'elle aime, qu'elle rie, qu'elle dorme, qu'elle soit toujours tranquille, toujours heureuse! Moi je suis fait pour souffrir; c'est mon métier, et j'ai l'écorce dure.

XXIII.

DE FERNANDE A CLÉMENCE.

Je suis encore triste, mon amie, et je commence à croire que tout n'est pas joie dans l'amour; il y a aussi bien des larmes, et je ne les répands pas toutes dans le sein de Jacques, car je vois que j'augmente sa tristesse en lui montrant la mienne. Depuis un mois nous avons eu plusieurs accès de mélancolie sympathique sans cause réelle, mais qui n'en ont pas moins des effets douloureux. Il est vrai que, quand ils sont passés, nous sommes plus heureux qu'auparavant, et nous nous chérissons avec plus d'enthousiasme; mais je me dis toujours que c'est la dernière fois que je tourmente Jacques de mes enfantillages, et je ne sais comment il arrive que je recommence toujours. Je ne peux pas le voir triste sans le devenir aussitôt; il me semble que c'est une preuve d'amour et qu'il ne doit pas s'en fâcher; aussi ne s'en fâchetil pas. Il me traite toujours avec tant de douceur et de bonté! comment feraitil pour me dire une parole dure, ou même froide? Mais il prend du chagrin et me fait de doux reproches; alors je pleure de remords, d'attendrissement et de reconnaissance, et je me couche fatiguée, brisée, me promettant bien de ne plus recommencer; car, au bout du compte, cela fait du mal, et ce sont autant de jours que je retranche de mon bonheur. J'ai certainement des idées folles, mais je ne sais pas s'il es possible d'aimer sans les avoir. Par exemple, je me tourmente continuellement de la crainte de n'être pas assez aimée, et je n'ose pas dire à Jacques que c'est à la cause de toutes mes agitations. Je crois bien qu'il a des jours de souffrance physique; mais il est certain que son esprit n'est pas toujours paisible. Certaines lectures l'agitent; certaines circonstances, indifférentes en apparence, semblent lui retracer des souvenirs pénibles. Je m'en inquiéterais moins s'il me les confiait; mais il est silencieux comme la tombe et me traite comme une personne tout à fait à part de lui. L'autre jour je me mis à chanter une vieille romance qui me tomba, je ne sais comment, sous la main; Jacques était étendu sur le grand canapé du salon, et il fumait dans une grande pipe turque à laquelle il tient beaucoup. Dès que j'eus chanté les premières mesures, il frappa le parquet avec cette pipe, comme saisi d'une émotion convulsive, et la brisa. «Ah! mon Dieu, qu'astu fait? m'écriaije; tu as cassé ta chère pipe d'Alexandrie.C'est possible, ditil, je ne m'en suis pas aperçu. Remetstoi à chanter.Mais je n'ose pas trop, reprisje; il faut que j'aie fait quelque fausse note épouvantable tout à l'heure; car tu as bondi comme un desespéré.Non pas que je sache, réponditil; continue, je t'en prie.» Je ne sais comment il se fait que je suis toujours à l'affût des impressions que Jacques cherche à me dissimuler; il y a un secret instinct qui m'abuse ou qui m'éclaire, je ne sais lequel des deux, mais qui me force a reporter tout ce qu'il fait et tout ce qu'il dit vers une cause funeste à mon bonheur. Je m'imaginai qu'il avait entendu chanter cette romance par quelque maîtresse dont le souvenir lui était encore cher, et je ressentis tout à coup une jalousie absurde; je la jetai de côté, et me mis à en chanter une autre. Jacques l'écouta sans l'interrompre, puis il me redemanda la première, en disant qu'il la connaissait et qu'elle lui plaisait beaucoup. Ces paroles, qui semblèrent confirmer mes doutes, m'enfoncèrent un poignard dans le coeur; je trouvai Jacques insensé et barbare de chercher à ressaisir dans notre amour le souvenir des autres amours de sa vie, et je chantai la romance, tandis que de grosses larmes me tombaient sur les doigts. Jacques me tournait le dos, et s'imaginait, parce que son corps avait une attitude immobile, que je ne m'apercevais pas de son émotion; mais je faisais, malgré ma douleur, une sévère attention à lui, et je surpris deux ou trois soupirs qui semblaient partir d'une âme oppressée et briser tout son corps. Quand j'eus fini, il y eut entre nous un long silence: je pleurais, et je laissai échapper malgré moi un sanglot. Jacques était tellement absorbé qu'il ne s'en aperçut pas, et sortit en fredonnant, d'un ton mélancolique, le refrain de la romance.

J'allai dans le bois pour me désoler en liberté; mais, au détour d'une allée, je me trouvai face à face avec lui. Il m'interrogea sur ma tristesse avec sa douceur accoutumée, mais beaucoup plus froidement que les autres fois. Cet air sévère m'imposa tellement que je ne voulus jamais lui avouer pourquoi j'avais les yeux rouges; je lui dis que c'était le vent, la migraine; je lui fis mille contes dont il feignit de se contenter, car il insista fort peu, et chercha à me distraire. Il n'eut pas grand peine: je suis si folle que je m'amuse de tout. Il me mena voir des chèvres de Cachemire qui venaient de lui arriver, avec un berger dont la bêtise me fit mourir de rire. Mais vois comme je suis! dès que je me retrouvai seule, mon chagrin me revint, et je me remis à pleurer en pensant à cette histoire de la matinée. Ce qui me faisait surtout de la peine, c'était d'avoir été importune à Jacques. L'indifférence qu'il avait montrée me prouvait de reste qu'il n'était plus disposé à écouter mes puériles confessions et à s'affliger avec moi de mes souffrances. Peut être avaitil cette idée; peutêtre éprouvaitil un peu de remords de m'avoir fait chanter cette romance; peutêtre nous sommesnous parfaitement compris tous les deux sans nous expliquer. Le fait est que le soir il prit un air tout à fait insouciant en me demandant si je savais par coeur la romance que j'avais chantée le matin. «Tu aimes bien cette romance? lui disje avec un peu d'amertume.Beaucoup, réponditil, surtout dans ta bouche; tu l'as chantée ce matin avec une expression qui m'a ému jusqu'au fond du coeur.» Poussée par je ne sais quel besoin de me faire souffrir pour me dévouer à sa fantaisie, je lui offris de la chanter de nouveau; et j'allais allumer une bougie pour la lire, lorsqu'il m'arrêta en me disant que ce serait pour une autre fois, et qu'il aimait mieux se promener avec moi au clair de la lune. Le lendemain matin, je cherchai la romance et ne la trouvai plus sur mon piano. Je la cherchai tous les jours suivants sans succès. Pressée par la curiosité, je me hasardai à demander à Jacques s'il ne l'avait pas vue. «Je l'ai déchirée par distraction, me réponditil; il n'y faut plus penser.» Il me sembla qu'il disait cette parole, il n'y faut plus penser, d'une manière particulière, et que cela exprimait beaucoup de choses. Je me trompe peutêtre, mais jamais je ne croirai qu'il ait déchiré cette romance par distraction. Il a voulu savoir d'abord si je pourrais la chanter par coeur, et quand il a été sûr que non, il l'a anéantie. Elle lui causait donc une émotion bien véritable; elle lui rappelait donc un amour bien violent!

Si Jacques devine tout cela, si en luimême il traite d'enfantillages méprisables ce qui se passe en moi, il a tort. S'il était à ma place, il souffrirait peutêtre plus que moi; car il n'a pas de rivaux dans le passé; rien de ce que je fais, rien de ce que je pense ne peut l'affliger: il peut sans frayeur regarder dans ma vie, l'embrasser tout entière d'un coup d'oeil, et se dire qu'il est mon seul amour. Mais sa vie est pour moi un abîme impénétrable; ce que j'en sais ressemble à ces météores sinistres qui éblouissent et qui égarent. La première fois que j'ai recueilli ces lambeaux de renseignements incertains, j'ai craint que Jacques ne fût inconstant ou menteur; j'ai craint que son amour n'eût pas tout le prix que j'y attachais; ma vénération fut comme ébranlée. Aujourd'hui je sais ce que c'est que Jacques et ce que vaut son amour; le prix en est si grand que je sacrifierais toute une vie de repos où je ne l'aurais pas connu, aux deux mois que je viens de passer avec lui. Je le sais incapable de m'abuser et de promettre son coeur en vain. Je ne songe presque plus à l'avenir, mais je me tourmente horriblement du passé; j'en suis jalouse. Oh! que serait le présent si je n'étais pas sûre de lui comme de Dieu! Mais je ne pourrais pas douter de la parole de Jacques, et je ne serais pas jalouse sans raison. L'espèce de jalousie que j'ai maintenant n'est pas vile et soupçonneuse; elle est triste et résignée; oh! mais elle me fait bien mal!

XXIV.

DE JACQUES A SYLVIA.

Je ne sais auquel des deux le pied a manqué, mais le grain de sable est tombé. J'ai fait bonne garde, je me suis dévoué de tout mon pouvoir à prévenir cet accident; mais la surface du lac est troublée. D'où est venu le mal? On ne le sait jamais; on s'en aperçoit quand il existe. Je le contemple avec tristesse et sans découragement. Il n'y a pas de remède à ce qui est arrivé; mais on peut mettre une digue à l'avalanche et l'arrêter en chemin.

Cette digue, ce sera ma patience. Il faut qu'elle s'oppose avec douceur aux excès de sensibilité d'une âme trop jeune. J'ai su mettre ce rempart entre moi et les caractères les plus fougueux; ce ne sera pas une tâche bien difficile que d'apaiser une enfant si simple et si bonne. Elle a une vertu qui nous sauvera l'un et l'autre, la loyauté. Son âme est jalouse; mais son caractère est noble, et le soupçon ne saurait le flétrir. Elle est ingénieuse à se tourmenter de ce qu'elle ne sait pas, mais elle croit aveuglément à ce que je lui dis. Me préserve Dieu d'abuser de cette sainte confiance et de démériter par le plus léger mensonge! Quand je ne puis pas lui donner l'explication satisfaisante, j'aime mieux ne lui en donner aucune; c'est la faire souffrir un peu plus longtemps, mais que faire? Un autre descendrait peutêtre à ces faciles artifices qui raccommodent tant bien que mal les querelles d'amour; cela me paraît lâche, et je n'y consentirai jamais. L'autre jour, il s'est passé entre elle et moi une petite tracasserie assez douloureuse, et trèsdélicate pour tous deux. Elle se mit à chanter une romance que j'ai entendu chanter pour la première fois à la première femme que j'ai aimée. C'était un amour bien romanesque, bien idéal, une espèce de rêve qui ne s'est jamais réalisé, grâce peutêtre a ma timidité et au respect enthousiaste que je professais pour une femme trèssemblable aux autres, à ce qu'il m'a semblé depuis. Certes, ni cette femme, ni l'amour que j'eus pour elle, ne sont de nature à causer raisonnablement de l'ombrage à Fernande; ce fut pourtant la cause d'un nuage qui a passé sur notre bonheur. J'eus un plaisir trèsvif à entendre ce chant mélodieux et simple qui me rappelait les illusions et les songes riants de ma première jeunesse. Il me retraçait toute une fantasmagorie de souvenirs: je crus revoir le pays où j'avais aimé pour la première fois, les bois où j'avais rêvé si follement, les jardins où je me promenais en faisant de mauvaises poésies que je trouvais si belles, et mon coeur palpita encore de plaisir et d'émotion. Certes, ce n'était pas de regret pour cet amour qui n'a jamais existé que dans les rêves d'une imagination de seize ans, mais il y a dans les lointains souvenirs une inexplicable magie. On aime ses premières impressions d'un amour paternel, on se chérit dans le passé, peutêtre parce qu'on s'ennuie de soimême dans le présent. Quoi qu'il en soit, je me sentis un instant transporté dans un autre monde, pour lequel je ne changerais pas celui où je suis maintenant, mais où j'avais cru ne retourner jamais, et où je fis avec joie quelques pas. Il me sembla que Fernande devinait le plaisir qu'elle me causait, car elle chanta comme un ange, et je restai enivré et muet de béatitude après qu'elle eut cessé. Tout à coup je m'aperçus qu'elle pleurait, et, comme nous avons eu déjà quelque chose de pareil, je devinai ce qui se passait en elle, et j'en conçus un peu d'humeur. La première impression est audessus des forces de l'homme le plus ferme. Dans ces momentslà, il n'est donné qu'aux scélérats de savoir feindre. Tout ce qu'un homme sincère peut faire, c'est de se taire ou de se cacher. Je sortis donc, et quelques tours de promenade dissipèrent cette légère irritation. Mais je compris qu'il m'était impossible de consoler Fernande par une explication. Il eût fallu ou lui faire accroire quelle se trompait dans ses soupçons, en lui faisant un mensonge, ou tenter de lui expliquer la différence qu'il y a entre aimer un souvenir romanesque et regretter un amour oublié. Voilà ce qu'elle n'eût jamais voulu comprendre et ce qui est réellement audessus de son âge, et peutêtre de son caractère. Cet aveu d'un sentiment bien innocent lui eût fait plus de mal que mon silence. J'ai tout réparé en lui prouvant que j'étais prêt à faire à sa susceptibilité le sacrifice de mon petit plaisir; j'ai refusé d'entendre de nouveau la romance que, par une petite malice boudeuse de femme, elle m'offrait de me chanter une seconde fois, et je l'ai brûlée sans ostentation.

Il faudra qu'en toute occasion, quand je ne pourrai pas mieux faire, j'aie le courage de ne pas montrer d'humeur. Il est vrai que cela me fait souffrir un peu. J'ai été victime pendant si longtemps de la jalousie atroce de certaines femmes, que tout ce qui me la rappelle, même de trèsloin, me fait frissonner d'aversion. Je m'y habituerai. Fernande a les défauts ou plutôt les inconvénients de son âge, et j'ai aussi ceux du mien. A quoi m'aurait servi l'expérience, si elle ne m'avait endurci à la souffrance? C'est à moi de m'observer et de me vaincre. Je m'étudie sans cesse, et je me confesse devant Dieu dans la solitude de mon coeur, pour me préserver de l'orgueil intolérant. En m'examinant ainsi, j'ai trouvé bien des taches en moi, bien des motifs d excuse pour les fréquentes agitations de Fernande. Par exemple, j'ai la triste habitude de rapporter toutes mes peines présentes à mes peines passées. C'est un noir cortège d'ombres en deuil qui se tiennent par la main; la dernière qui s'agite éveille toutes les autres qui s'endormaient. Quand ma pauvre Fernande m'afflige, ce n'est pas elle qui me fait tout le mal que je ressens, ce sont les autres amours de ma vie qui se remettent à saigner comme de vieilles plaies. Ah! c'est qu'on ne guérit pas du passé!

Devraitelle se plaindre de moi, pourtant? Quel homme sait mieux jouir du présent? quel homme respecte plus saintement les biens que Dieu lui accorde? Combien je prise ce diamant que je possède, et autour duquel je souffle sans cesse pour en écarter le moindre grain de poussière! Oh! qui le garderait plus soigneusement que moi? Mais les enfants saventils quelque chose? Moi, du moins, je puis comparer le passé au présent, et si quelquefois je souffre doublement pour avoir déjà beaucoup souffert, plus souvent encore j'apprends par cette comparaison à savourer le bonheur présent. Fernande croit que tous les hommes savent aimer comme moi; moi, je sens que les autres femmes ne savent pas aimer comme elle. C'est moi qui suis le plus juste et le plus reconnaissant. Mais, encore une fois, il en doit être ainsi. Hélas! le temps du bonheur seraitil déjà passé? celui du courage seraitil venu? Oh! non, non, pas encore; ce serait trop vite. Que l'un préserve l'autre, et que le bonheur récompense le courage!

XXV.

DE CLÉMENCE A FERNANDE.

Je suis plus affligée que surprise de ce qui t'arrive; tes chagrins me paraissent la conséquence inévitable d'une union mal assortie. D'abord ton mari est trop âgé pour toi, ensuite tu as pris ta position tout de travers. Il eût été possible à une femme dont le caractère serait calme et un peu froid de s'habituer aux inconvénients que je t'avais signalés, et qui ne se sont que trop réalisés; mais, pour une petite tête exaltée comme la tienne, un homme aussi expérimenté que M. Jacques est le pire mari que tu pouvais rencontrer. Ce n'est pas que je rejette sur lui la faute de tout ce qui s'est passé entre vous; il me semble que c'est lui qui a constamment raison, et voilà pourquoi je te plains: ce qu'il y a de plus triste au monde, c'est d'être condamné, par sa position et par la force des choses, à avoir constamment tort. Cet amour enthousiaste que tu t'es évertuée à ressentir pour lui est un sentiment hors nature, et destiné à s'éteindre tout à coup comme un feu de paille; mais avant d'en venir là il te fera cruellement souffrir, et, quelque patient que soit ton mari, il te rendra insupportable à ses yeux. Il me semble, à moi, que la passion, est tout à fait contraire à la dignité et à la sainteté du mariage. Tu t'es imaginé que tu inspirais cette passion à ton mari; j'en doute fort: je crois que tu auras pris pour l'enthousiasme les caresses véhémentes qu'un mari prodigue dès les premiers jours à sa femme, quand elle est, comme toi, toute jeune et remarquablement jolie. Mais sois sûre que toutes les extases de ton cerveau, toutes les illusions de ton âme, ne sont plus du goût d'un homme de trentecinq ans, et que, du jour où, au lieu de contribuer à ses plaisirs, elles lui causeront du trouble et de l'ennui, il te dessillera les yeux, peutêtre un peu brusquement. Tu seras au désespoir alors, pauvre Fernande, et il n'aura fait qu'une chose trèssimple et trèslégitime; car de quel droit vienstu, avec tes folies et tes caprices, empoisonner la vie d'un homme qui était libre et tranquille, et qui t'a recherchée en mariage pour te faire participer à son bienêtre, et non pour t'ériger en souveraine jalouse et impérieuse? Je vois déjà que tu as le talent de le rendre assez malheureux; cette manière de l'épier, de scruter toutes ses pensées, d'interpréter toutes ses paroles, doit faire de ton amour un fléau. Et pourtant, Fernande, personne n'était plus douce et plus facile à vivre que toi; nul caractère n'est plus éloigné du soupçon et de la tyrannie; nul coeur peutêtre n'est plus généreux et plus juste, mais tu aimes, et voilà l'effet de l'amour sur les femmes quand elles ne savent pas se vaincre. Prends garde à toi, ma chère; je te parle bien durement, bien cruellement, mais tu cherches l'appui de ma raison, et je te l'offre d'une main ferme. Je t'ai déjà dit que, le jour où la vérité te serait trop rude à supporter, tu n'avais qu'à cesser de m'écrire, et que je comprendrais ton silence. Je ne chercherai jamais à te guérir malgré toi, je ne suis pas une marchande de conseils. Adieu, ma petite amie; tâche de te guérir de l'exagération, ou tu es perdue.

XXVI.

DE SYLVIA A JACQUES.

Tu as raison, Jacques, de ne pas t'effrayer beaucoup de ces légers nuages. Je ne sais pas si tu dois aimer éternellement Fernande; je ne sais pas si l'amour est, de sa nature, un sentiment éternel; mais ce qu'il y a de certain, c'est qu'avec des caractères aussi nobles que les vôtres il doit avoir un cours aussi long que possible, et ne pas se flétrir dès les premiers mois. Je vois que dea caractères plus mal assortis, et moins dignes l'un de l'autre, se tiennent embrassés durant des années et ont une peine extrême à se détacher. Toimême tu l'as éprouvé; tu as aimé des femmes beaucoup moins parfaites que Fernande, et tu les as aimées longtemps avant de commencer à souffrir et à te dégoûter. Il me semble donc impossible que la chute du premier grain de sable ait déjà troublé ton amour, et que ton lac ne redevienne pas tranquille et pur. Peutêtre que deux grands coeurs ont plus de peine à s'entendre que lorsqu'un des deux fait à lui seul tous les frais de la sympathie. Peutêtre qu'avant de se livrer entièrement, et de s'abandonner l'un à l'autre, ils ont besoin de s'essayer, de briser quelques aspérités qui les repoussent encore. Un grand bonheur, une longue passion, doivent être achetés au prix de quelques souffrances. Quand on plante un arbre vigoureux, il souffre et se flétrit pendant quelques jours avant de s'accoutumer au terrain et de montrer la force qu'il doit acquérir. Les petites douleurs de ton amie prouvent l'excessive délicatesse de son amour. Je voudrais être aimée comme tu l'es. Gardetoi donc de te plaindre; surmonte un peu ta fierté, s'il le faut, et consens, non à mentir, mais à t'expliquer. Tu fais injure à Fernande en croyant qu'elle ne comprendrait pas; elle serait flattée de te voir condescendre aux faiblesses de son sexe et aux ignorances de son âge; elle s'efforcerait de marcher plus vite vers toi et d'arriver à ton point de vue. Que ne peut pas une âme comme la tienne et une parole si éloquente quand tu daignes parler! Oh! ne t'enferme pas dans le silence! tu n'as pas besoin de ta force avec cet être angélique qui est à genoux déjà pour t'écouter. Rappelletoi ce que j'étais quand je t'ai connu, et ce que tu as fait de cette âme qui dormait informe dans le chaos. Que seraisje si tu n'étais descendu jusqu'à moi, si tu ne m'avais révélé ce que tu sais de Dieu, des hommes et de la vie? Ne t'aije pas compris? n'aije pas acquis quelque grandeur, moi qui n'étais qu'une enfant sauvage, incapable de bien et de mal par moimême au milieu des ténèbres de mon ignorance? Souvienstoi des longues promenades que nous faisions ensemble sur les Alpes, au temps des vacances. Avec quelle avidité je t'écoutais! comme je rentrais dans mon couvent éclairée et sanctifiée! O mon brave Jacques! quel être sublime ne pourrastu pas faire de celle qui est ta femme et qui possède ton amour! Je te prédis une grande destinée avec elle! Essuie ses belles larmes, ouvrelui tous les trésors de ton âme: je vivrai de votre bonheur.

XXVII.

D'OCTAVE A SYLVIA

Pourquoi donc avezvous tant tardé à m'écrire cette lettre qui nous eût épargné tant de maux, et pourquoi, si Jacques est votre frère, avezvous tant hésité à me l'avouer? Quel être incompréhensible êtesvous, Sylvia, et quel plaisir trouvezvous à nous faire souffrir vous et moi? C'est en vain que je vous contemple et que je vous étudie; il y a des jours où je ne sais pas encore si vous êtes la première ou la dernière des femmes; je me demande si votre fierté signifie la vertu la plus sublime ou l'effronterie du vice hypocrite. Ah! ne m'accablez pas de vos froides et méprisantes railleries. Ne me dites pas que personne ne m'impose l'obligation de vous aimer, et que je suis libre de renoncer à vous. Je suis bien assez malheureux; ne faites pas tant de gloire de vos dédains et de votre indifférence: vous ne seriez que plus digne d'amour si vous étiez moins forte et moins cruelle.

Et vous, n'avezvous jamais eu des instants de faiblesse et d'incertitude avec moi? ne m'avezvous pas accusé de bien des torts que vous m'avez pardonnés? Pourquoi railler si durement l'impiété de mon âme? pourquoi me dire que je ne vous aime pas du moment que je doute de vous? Savezvous bien ce que c'est que l'amour, pour parler de la sorte? Mais vous m'avez aimé, puisque vous m'avez rappelé souvent après m'avoir repoussé; mais vous m'aimez encore, puisque, après trois mois d'un silence obstiné, vous m'écrivez pour vous laver de mes soupçons. Elle est bien laconique et bien hautaine, votre justification! Je n'oserais confier à personne combien vous me dominez, tant je me trouve rapetissé et humilié par votre amour. O Dieu! et vous seriez un ange si vous vouliez; c'est l'orgueil qui fait de vous un démon! Quand vous vous abandonnez à votre sensibilité, vous êtes si belle, si adorable! j'ai eu de si beaux jours avec vous! sontils donc perdus pour jamais? Non; je ne saurais y renoncer; que ce soit force ou faiblesse, lâcheté ou courage, je retournerai à toi! Je te presserai encore dans mes bras, je te forcerai encore à croire en moi et à m'aimer, dusseje n'avoir qu'un jour de ce bonheur, et rester avili à mes propres yeux pour toute ma vie! Je sais que je serai encore malheureux avec toi; je sais qu'après m'avoir rendu fou, tu me chasseras avec un abominable sangfroid. Tu ne comprendras pas où tu ne voudras pas comprendre que, pour retourner à tes pieds, avec l'âme toute saignante encore de doute et de soupçons, il faut que je t'aime d'une passion effrénée. Tu me diras que je ne sais pas ce que c'est qu'aimer; tu croiras être bien sublime et bien généreuse envers moi, parce que tu me pardonneras d'avoir soupçonné ce que tous les hommes auraient supposé à ma place. Tu es une âme d'airain; tu brises tout ce qui t'approche, et ne consens à plier devant aucune des réalités de la vie. Comment veuxtu que je te suive toujours aveuglément dans ce monde imaginaire où je n'avais jamais mis le pied avant de te connaître? Ah! sans doute, si tu es ce tu parais à mon enthousiasme, tu es bien grande, et je devrais passer ma vie enchaîné à tes pieds; si tu es ce que ma raison croit deviner parfois, cachemoi bien la vérité, trompemoi habilement, car malheur à toi si tu te démasques! Adieu; reçoismoi comme tu voudras, dans trois jours je serai à tes genoux.

XXVIII.

DE FERNANDE A CLÉMENCE.

Tu m'humilies, tu me brises; si c'est la vérité que tu m'enseignes, elle est bien âpre, ma pauvre Clémence. Tu vois cependant que je l'accepte, toute cruelle qu'elle est, et que je reviens toujours à toi, sauf à être plus malheureuse qu'auparavant, quand tu m'as répondu. J'ai donc tort? Mon Dieu, je croyais qu'avec un malheur comme le mien on ne pouvait pas être coupable. Les méchants sont ceux qui rient des peines d'autrui; moi je pleure celles de Jacques encore plus que les miennes; je sais bien que je l'afflige, mais aije la force de cacher mon chagrin? Peuton tarir ses larmes, peuton s'imposer la loi d'être insensible à ce qui déchire le coeur?

Si quelqu'un est jamais arrivé à cette vertu, il a dû bien souffrir avant de l'atteindre; son coeur a dû saigner cruellement! Je suis trop jeune pour savoir déguiser mon visage et cacher mon émotion; et puis, ce n'est pas Jacques qu'il me serait possible de tromper. Cette lutte avec moimême ne servirait donc qu'à augmenter mon mal; ce qu'il faudrait étouffer, c'est ma sensibilité, c'est mon amour! O ciel, tu me parles de le vaincre! Cette seule idée lui donne plus d'intensité; que deviendraisje à présent que j'ai connu l'amour, si je me trouvais le coeur vide? Je mourrais d'ennui. J'aime mieux mourir de chagrin, la mort sera moins lente.

Tu prends le parti de Jacques, tu as bien raison! c'est lui qui est un ange, c'est lui qui devrait être aimé d'une âme aussi forte, aussi calme que la tienne. Mais suisje donc indigne de lui? ne suisje pas sincère et dévouée autant qu'il est possible de l'être? Non! ce ne sont pas des lueurs d'enthousiasme que j'ai pour lui, c'est une vénération constante, éternelle. Il m'aime vraiment, je le sais, je le sens; il ne faut pas me dire qu'il n'aime de moi que ma jeunesse et ma fraîcheur; si je le croyais!... non, cette idée est trop cruelle! Tu es inexorable dans ton mépris pour l'amour; ton esprit observateur juge tout sans pitié; mais de quel droit parlestu d'un sentiment que tu n'as pas éprouvé? Si tu savais combien un pareil doute me ferait souffrir, une fois entré dans mon coeur, tu n'aurais pas la cruauté de m'y pousser.

Eh bien, s'il en était ainsi, si Jacques m'aimait comme un passetemps, moi qui lui ai dévoué toute ma vie, moi qui l'aime de toutes les forces de mon âme, j'essaierais de ne plus l'aimer; mais cela me serait impossible, je mourrais.

Ma pauvre tête est malade. Aussi quelle lettre tu m'écris! je n'ai pu cacher l'impression qu'elle me faisait, et Jacques m'a demandé si je venais d'apprendre quelque mauvaise nouvelle. J'ai répondu que non. «Alors, m'ail dit, c'est une lettre de ta mère.» Je mourais de peur qu'il ne me demandât à la voir, et, tout interdite, j'ai baissé la tête sans répondre. Jacques a frappé la table avec une violence que je ne lui ai jamais vue. «Que cette femme n'essaie point d'empoisonner ton coeur, s'estil écrié, car je jure sur l'honneur de mon père qu'elle me paierait cher la moindre tentative contre la sainteté de notre amour!» Je me suis levée tout épouvantée, et je suis retombée sur ma chaise. «Eh bien, qu'astu? m'atil dit.Vousmême, qu'avezvous contre ma mère? que vous atelle fait pour vous mettre ainsi en colère?J'ai des raisons que tu ne sais pas, Fernande, et qui sont grosses comme des montagnes; puissestu ne les savoir jamais! mais, pour l'amour de notre repos, cachemoi les lettres de ta mère, et surtout l'effet qu'elles produisent sur toi.Je te jure que tu te trompes, Jacques, me suisje écriée; cette lettre n'est pas de ma mère, elle est de...Je n'ai pas besoin de le savoir, atil dit vivement; ne me fais pas l'injure de répondre à des questions que je ne t'adresserai jamais.» Et il est sorti; je ne l'ai pas revu de la journée. O Dieu! nous en sommes presque à nous quereller! et pourquoi? parce que j'ai cru le voir triste et que j'ai pris de l'inquiétude? Oh! s'il n'y avait pas au fond de tout cela quelque chose de vrai, nous n'en serions pas où nous en sommes. Jacques a eu des peines qu'il m'a cachées, à bonne intention peutêtre, mais il a eu tort; s'il m'avait révélé la première, je ne l'aurais pas interrogé sur les autres, tandis qu'à présent je m'imagine toujours qu'il couve quelque mystère, et je ne trouve pas cela juste, car mon âme lui est ouverte, et il peut y lire à chaque instant. Je vois bien qu'il est préoccupé, quelque chose le distrait de l'amour qu'il avait pour moi; quelquefois il a un froncement de sourcil qui me fait trembler de la tête aux pieds. Il est vrai que si je prends le courage de lui adresser la parole, cela se dissipe aussitôt, et je retrouve son regard bon et tendre comme auparavant. Mais autrefois je ne lui déplaisais jamais, je lui disais avec confiance tout ce qui me passait par l'esprit; quand j'étais absurde, il se contentait de sourire, et il prenait la peine de redresser mon jugement avec affection. A présent, je vois que certaines paroles, dites presque au hasard, lui font un mauvais effet; il change de visage, ou il se met à fredonner cette petite chanson qu'il chantait à Smolensk, quand on lui retira une balle de la poitrine. Une parole de moi lui fait le même mal apparemment.

Il est six heures du soir; Jacques, qui est d'ordinaire si exact, et qui se faisait un scrupule de me causer la plus légère inquiétude ou la plus frivole impatience, n'est pas encore rentré pour dîner. Estce qu'il me boude? estce qu'il aura eu un chagrin assez vif pour rester absorbé ainsi depuis midi? Je suis tourmentée; s'il lui était arrivé quelque accident! s'il ne m'aimait plus! Peutêtre que je lui ai tellement déplu aujourd'hui qu'il éprouve de la répugnance à me voir. Oh! ciel! ma vue lui deviendrait odieuse! Tout cela me fait un mal horrible, je suis enceinte et je souffre beaucoup. Les anxiétés auxquelles je m'abandonne me rendent encore plus malade. Il faut que j'en finisse; il faut que je me jette aux pieds de Jacques, et que je le conjure de me pardonner mes folies. Cela ne peut pas m'humilier: ce n'est pas à mon mari, c'est à mon amant que s'adresseront mes prières. J'ai offensé se délicatesse, j'ai affligé son coeur; il faut qu'une fois pour toutes il me pardonne, et que tout soit oublié. Il y a bien des jours que nous ne nous expliquons plus; cela me tue. J'ai l'âme pleine de sanglots qui m'étouffent; il faut que je les répande dans son sein, qu'il me rende toute sa tendresse, et que je recouvre ce bonheur pur et enivrant que j'ai déjà goûté.

Dimanche matin.

O mon amie, que je suis malheureuse! rien ne me réussit, et la fatalité fait tourner à mal tout ce que je tente pour me sauver. Hier, Jacques est rentré à six heures et demie; il avait l'air parfaitement calme, et m'a embrassée comme s'il eût oublié nos petites altercations. Je connais Jacques à présent; je sais quels efforts il fait sur luimême pour vaincre son déplaisir; je sais que la douleur concentrée est un fer rouge qui dévore les entrailles. Je me suis fait violence pour dîner tranquillement; mais, aussitôt que nous avons été seuls, je me suis jetée à ses genoux en fondant en larmes. Saistu ce qu'il a fait? Au lieu de me tendre les bras et d'essuyer mes pleurs, il s'est dégagé de mes caresses et s'est levé d'un air furieux; j'ai caché mon visage dans mes mains pour ne pas le voir dans cet état; j'ai entendu sa voix tremblante de colère qui me disait: «Levezvous, et ne vous mettez jamais ainsi devant moi.» J'ai senti alors le courage du désespoir. «Je resterai ainsi, me suisje écriée, jusqu'à ce que vous m'ayez dit ce que j'ai fait pour perdre votre amour.Tu es folle, atil répondu en se radoucissant, et tu ne sais qu'imaginer pour troubler notre paix et gâter notre bonheur. Expliquonsnous, parlons, pleurons, puisqu'il te faut toutes ces émotions pour alimenter ton amour; mais, au nom du ciel, relèvetoi, et que je ne te voie plus ainsi.» J'ai trouvé cette réponse bien dure et bien froide, et je suis retombée sur moimême à demi brisée d'abattement et de douleur. «Fautil que je te relève malgré toi? atil dit en me prenant dans ses bras et en me portant sur le sofa; quelle rage ont donc toutes les femmes de jeter ainsi leur âme en dehors comme si elles étaient sur un théâtre! Souffreton moins, aimeton plus froidement, pour rester debout et pour ne pas se briser la poitrine en sanglots? Que ferezvous, pauvres enfants, quand la foudre vous tombera sur la tête?Tout ce que vous dites là est horrible, lui aije répondu; estce par le dédain que vous voulez vous délivrer de mon amour? vous importunetil déjà?» Il s'est assis auprès de moi, et il est resté silencieux, la tête baissée, l'air résigné, mais profondément triste. Il m'a laissée pleurer longtemps, puis il a fait un effort pour me prendre les mains; mais j'ai vu que cette marque d'affection lui coûtait; et j'ai retiré mes mains précipitamment. «Hélas! hélas!» atil dit, et il est sorti. Je l'ai rappelé, mais en vain, et je me suis presque évanouie. Rosette, en apportant des lumières dans le salon, m'a trouvée sans mouvement; elle m'a portée à mon lit, elle m'a déshabillée pendant qu'on avertissait mon mari; il est venu, et m'a témoigné beaucoup d'intérêt. J'avais une extrême impatience d'être seule avec lui, espérant qu'il me dirait quelque chose qui me consolerait tout à fait; je voyais tant d'émotion sur sa figure! Je ne pouvais cacher l'ennui que me causaient les interminables prévenances de Rosette; j'ai fini par lui parler un peu durement, et Jacques a dit quelques mots en sa faveur. J'avais les nerfs réellement malades; je ne sais comment la manière dont Jacques a semblé s'interposer entre moi et ma femme de chambre m'a causé un mouvement de colère invincible.

Plusieurs fois déjà, ces jours derniers, je m'étais impatientée contre cette fille, et Jacques m'en avait blâmée. «Je sais bien qu'en toute occasion, lui aije dit, vous donnez de préférence raison à Rosette et à moi tout le tort.Vous êtes réellement malade, ma pauvre Fernande, atil répondu. Rosette, tu fais trop de bruit autour de ce lit, vat en; je te sonnerai si madame a besoin de toi.» Aussitôt j'ai senti combien j'étais injuste et folle. «Oui, je suis malade,» aije répondu dès que j'ai été seule avec lui, et je me suis caché la tête dans son sein en pleurant; il m'a consolée en me prodiguant les plus tendres caresses et en me donnant les plus doux noms. Je n'avais plus la force de demander une autre explication, tant j'avais la tête brisée; je me suis endormie sur l'épaule de Jacques. Mais ce matin, quand j'ai sonné ma femme de chambre, j'ai vu une autre figure, assez laide et insignifiante. «Qui êtesvous, aije dit, et où est Rosette?Rosette est partie, m'a dit Jacques aussitôt en sortant de sa chambre pour répondre a ma question. J'avais besoin d'une ménagère diligente et honnête à ma ferme de Blosse, et j'y ai envoyé Rosette pour le reste de la saison. En attendant que tu la remplaces à ton gré, j'ai fait venir sa soeur pour te servir.» J'ai gardé le silence, mais j'ai trouvé cette leçon bien dure et bien froide. Oh! j'avais bien compris l'histoire de la romance. Que faire maintenant? Je vois que mon bonheur s'en va jour par jour, et je ne sais comment l'arrêter. Évidemment, Jacques se dégoûte de moi, et c'est ma faute; je ne vois pas qu'il ait envers moi le moindre tort; je ne vois pas non plus que je sois réellement coupable envers lui. Nous nous faisons du mal mutuellement, comme par une sorte de fatalité; peutêtre s'y prendil mal avec moi. Il est trop grave, trop sentencieux dans ses avis. Les résolutions qu'il prend, la promptitude avec laquelle il tranche les sujets de trouble entre nous, montrent, ce me semble, une espèce de hauteur méprisante à mon égard. Un mot de doux reproche, quelques larmes versées ensemble, et les caresses du raccommodement, vaudraient bien mieux. Jacques est trop accompli, cela m'effraie; il n'a pas de défauts, pas de faiblesses; il est toujours le même, calme, égal, réfléchi, équitable. Il semble qu'il soit inaccessible aux travers de la nature humaine, et qu'il ne puisse les tolérer dans les autres qu'à l'aide d'une générosité muette et courageuse; il ne veut point entrer en pourparler avec eux. C'est trop d'orgueil. Moi je suis une enfant, j'ai besoin qu'on me guide et qu'on me relève quand je tombe. Oui, tu avais raison, Clémence; je commence à croire que le caractère de Jacques n'est pas assez jeune pour moi. C'est de là que viendra mon malheur; car, à cause de sa perfection, je l'aime plus que je n'aimerais un jeune homme, et sa raison empêchera peutêtre que je m'entende jamais avec lui.

XXIX.

DE JACQUES A SYLVIA.

Je n'ai pas faibli dans ma résolution, je ne me suis pas une seule fois abandonné à l'impatience, je n'ai pas commis d'injustice, je n'ai pas agi en mari; pourtant le mal fait, ce me semble, des progrès rapides, et si quelque circonstance étrangère ne vient pas le distraire, si quelque révolution ne s'opère dans les idées de Fernande, nous aurons bientôt cessé d'être amants. Je souffre, je l'avoue; il n'est qu'un bonheur au monde, c'est l'amour; tout le reste n'est rien, et il faut l'accepter par vertu. J'accepterai tout, je me contenterai de l'amitié, je ne me plaindrai de rien; mais laissemoi verser dans ton sein quelques larmes amères que le monde ne verra pas, et que Fernande, surtout, n'aura pas la douleur d'ajouter aux siennes. Six mois d'amour, c'est bien peu! encore combien de jours, parmi les derniers, ont été empoisonnés! Si c'est la volonté du ciel, soit. Je suis prêt à la fatigue et à la douleur; mais, encore une fois, c'est perdre bien vite une félicité au sein de laquelle je me flattais de rester enivré plus longtemps.

Mais de quoi aije à me plaindre? je savais bien que Fernande était une enfant, que son âge et son caractère devaient lui inspirer des sentiments et des pensées que je n'ai plus; je savais que je n'aurais ni le droit ni la volonté de lui en faire un crime. J'étais préparé à tout ce qui m'arrive; je ne me suis trompé que sur un point: la durée de notre illusion. Les premiers transports de l'amour sont si violents et si sublimes, que tout se range à leur puissance; toutes les difficultés s'aplanissent, tous les germes de dissension se paralysent, tout marche au gré de ce sentiment, qu'on appelle avec raison l'âme du monde, et dont on aurait dû faire le dieu de l'univers; mais quand il s'éteint, toute la nudité de la vie réelle reparaît, les ornières se creusent comme des ravins, les aspérités grandissent comme des montagnes. Voyageur courageux, il faut marcher sur un chemin aride et périlleux jusqu'au jour de la mort; heureux celui qui peut espérer de ressentir un nouvel amour! Dieu m'a longtemps béni, longtemps il m'a donné la faculté de guérir et de renouveler mon coeur à celle flamme divine, mais j'ai fait mon temps, je suis arrivé à mon dernier tour de roue: je ne dois plus, je ne puis plus aimer. Je croyais du moins que ce dernier amour réchaufferait les dernières années de la jeunesse de mon coeur et les prolongerait davantage. Je n'ai pas cessé d'aimer encore; je serais encore prêt, si Fernande pouvait calmer ses agitations et réparer d'ellemême le mal qu'elle nous a fait; à oublier ces orages et à retourner à l'enivrement des premiers jours; mais je ne me flatte pas que ce miracle puisse s'opérer en elle: elle a déjà trop souffert. Avant peu elle détestera son amour; elle en a fait un tourment, un cilice, qu'elle porte encore par enthousiasme et par dévouement. Ces chosesià sont des rêves de jeune femme: le dévouement tue l'amour et le change en amitié. Eh bien, l'amitié nous restera; j'accepterai la sienne, et laisserai longtemps encore à la mienne le nom d'amour, afin qu'elle ne la méprise pas. Mon amour, mon pauvre dernier amour! je l'embaumerai en silence, et mon coeur lui servira éternellement de sépulcre; il ne s'ouvrira plus pour recevoir un amour vivant. Je sens la lassitude des vieillards et le froid de la résignation qui envahissent toutes ses fibres; Fernande seule peut le ranimer encore une fois, parce qu'il est encore chaud de son étreinte. Mais Fernande laisse éteindre le feu sacré et s'endort en pleurant; le foyer se refroidit, bientôt la flamme se sera envolée.

Tu me donnes un conseil bien impossible à suivre; tu mets le doigt sur la plaie en disant que nous ne nous comprenons pas; mais tu m'engages à me faire comprendre, et tu ne songes pas que l'amour ne se démontre pas comme les autres sentiments. L'amitié repose sur des faits et se prouve par des services; l'estime peut se soumettre à des calculs mathématiques; l'amour vient de Dieu; il y retourne et il en redescend au gré d'une puissance qui n'est pas dans les mains de l'homme. Pourquoi ne te faistu pas comprendre d'Octave? par les mêmes raisons qui font que Fernande ne me comprend plus? Octave n'a pu atteindre à ce degré d'enthousiasme qui fait l'amour grand et sublime; Fernande l'a déjà perdu. Le soupçon a empêché l'amour d'Octave de prendre son développement; un peu d'égoïsme a paralysé celui de Fernande. Comment veuxtu que je lui prouve qu'elle doit me préférer à ellemême et me cacher ses souffrances comme je lui cache les miennes? J'ai la force de renfermer ma douleur et d'étouffer mes légers ressentiments; chaque jour, après quelques instants de lutte solitaire, je reviens à elle sans rancune, prêt à oublier tout et à ne lui adresser jamais une plainte; mais je retrouve ses yeux humides, son coeur oppressé et le reproche sur ses lèvres; non ce reproche évident et grossier qui ressemble à l'injure, et qui me guérirait surlechamp et de l'amour et de l'amitié, mais le reproche délicat, timide, qui fait une blessure imperceptible et profonde. Ce reprochelà, je le comprends, je le recueille; il entre jusqu'au fond de mon coeur. Oh! quelle souffrance pour l'homme qui voudrait au prix de sa vie ne l'avoir jamais fait naître, et qui sent dans les plus secrets replis de son âme qu'il ne l'a jamais mérité! Elle souffre, la malheureuse enfant, parce qu'elle est faible, parce qu'elle s'abandonne à ces misérables chagrins que j'étouffe, parce qu'elle sent qu'elle a tort de s'y abandonner et qu'elle perd à mes yeux de sa dignité. Son orgueil souffre alors, et mes efforts pour le relever et le guérir sont vains; elle les attribue à la générosité, A la compassion, et n'en est que plus triste et plus humiliée. Mon amour devient trop sévère pour elle; elle se croit obligée de l'implorer, elle ne le comprend plus.

Il y a quelque temps, elle se jeta à mes pieds pour me le redemander. Un mari eût été touché peutêtre de cet acte de soumission; pour moi, j'en fus révolté. Il me rappela les scènes orageuses que plusieurs fois j'ai eu à supporter quand, après avoir perdu mon estime, les femmes que j'ai aimées ont voulu en vain ressaisir mon amour. Voir Fernande dans cette situation! elle si sainte et si vierge de souillure! cela me fit horreur. Oh! ce n'est pas ainsi que je veux être aimé; inspirer à ma femme le sentiment qu'un esclave a pour son maître! Il me sembla qu'elle se mettait dans cette altitude pour faire abjuration de notre amour et me promettre quelque autre sentiment. Elle ne comprit pas le mal qu'elle me faisait, et elle me fit peutêtre dans son coeur un crime de n'avoir pas été reconnaissant de ce qu'elle tentait pour me guérir. Pauvre Fernande!

Tu me recommandes d'être avec elle ce que j'ai été avec toi! Tu crois donc, Sylvia, que c'est moi qui t'ai faite ce que tu es? Tu crois qu'une créature humaine peut donner à une autre la force et la grandeur? Souvienstoi de la fable de Prométhée, que les dieux punirent, non pour avoir fait un homme, mais pour s'être flatté de lui donner une âme. La tienne était déjà vaste et brûlante quand j'y versai la faible lumière de ma réflexion et de mon expérience; mais, loin de l'exalter, je ne m'occupai qu'à l'éclairer; je lâchai de diriger vers un but digne d'elle la vigueur de son élan et l'ardeur de ses affections. Je ne fis que lui ouvrir une route; c'est Dieu qui lui avait donné des ailes pour s'y élancer. Tu avais été élevée au désert; ton intelligence était si verte et si fraîche, qu'elle s'ouvrait à toutes les idées; mais cela n'eût pas suffi, si ton coeur n'eût pas été préparé aux sentiments dont je te parlais: tu aurais tout compris sans rien sentir. En un mot, je ne songeai point à t'inspirer, je cherchai à t'instruire. Si je ne l'eusse pas fait, peutêtre n'auraistu pas appris l'usage des dons de Dieu; mais certainement ils ne se seraient point perdus sans t'enseigner une conduite noble et ferme dans toutes les occasions sérieuses de ta vie.

Fernande, avec une organisation moins puissante, a eu à combattre les funestes influences des préjugés au milieu desquels elle a grandi; meilleure peutêtre que tout ce qui appartient à la société, elle ne pourra jamais se défaire impunément des idées que la société révère. On ne lui a pas fait, comme à toi, un corps et une âme de fer; on lui a parlé de prudence, de raison, de certains calculs pour éviter certaines douleurs, et de certaines réflexions pour arriver à un certain bienêtre que la société permet aux femmes à de certaines conditions. On ne lui a pas dit comme à toi: «Le soleil est âpre et le vent es rude; l'homme est fait pour braver la tempête sur mer, la femme pour garder les troupeaux sur la montagne brûlante. L'hiver, viennent la neige et la glace, tu iras dans les mêmes lieux, et tu tâcheras de te réchauffer à un feu que tu allumeras avec les branches sèches de la forêt; si tu ne veux pas le faire, tu supporteras le froid comme tu pourras. Voici la montagne, voici la mer, voici le soleil; le soleil brûle, la mer engloutit, la montagne fatigue. Quelquefois les bêtes sauvages emportent les troupeaux et l'enfant qui les garde: tu vivras au milieu de tout cela comme tu pourras; si tu es sage et brave, on te donnera des souliers pour te parer le dimanche.» Quelles leçons pour une femme qui devait un jour vivre dans la société et profiter des raffinements de la civilisation! Au lieu de cela, on apprenait à Fernande comment on fuit le soleil, le vent et la fatigue. Quant aux dangers que tu affrontais tranquillement, elle savait à peine s'ils pouvaient exister dans la contrée où elle vivait; elle en lisait avec effroi la relation dans quelque voyage au Nouveau Monde. Son éducation morale fut la conséquence de cette éducation physique. Nul n'eut la sagesse de lui dire: «La vie est aride et terrible, le repos est une chimère, la prudence est inutile; la raison seule ne sert qu'à dessécher le coeur; il n'y a qu'une vertu, l'éternel sacrifice de soimême.» C'est avec cette rudesse que je te traitai quand tu m'adressas les premières questions; c'était te rejeter bien loin des contes de fée dont tu t'étais nourrie; mais cet amour du merveilleux n'avait rien gâté en toi. Quand je te retrouvai au couvent, tu ne croyais déjà plus aux prodiges, mais tu les aimais encore, parce que ton imagination y trouvait la personnification allégorique de toutes les idées d'équité chevaleresque et de courage entreprenant qui ressortaient de ton caractère. Je te parlai de vivre et de souffrir, d'accepter tous les maux et de ne faire plier à aucune des lois de ce monde l'amour de la justice. Je ne trouvai pas nécessaire de t'en dire davantage: tu avais dans le caractère des particularités que le monde eût appelées défauts, et que je respectai comme les conséquences d'un tempérament hardi et généreux. J'ai horreur de ce tempérament de convention que la société fait aux femmes, et qui est le même pour toutes. Le bon coeur sincère et ingénu de Fernande se révolta contre ce joug, et je l'ai aimée à cause de sa haine pour la pédanterie et la fausseté de son sexe. Mais cette forte éducation que je n'avais pas craint de te donner, je n'aurais jamais osé l'essayer avec Fernande; elle s'était fait à ellemême un monde d'illusions tel que se le font les femmes dont l'âme aimante veut résister au bandeau flétrissant du préjugé; elle avait ce caractère adorable, mais funeste, que l'on appelle romanesque, et qui consiste à ne voir les choses ni comme elles sont dans la société, ni comme elles sont dans la nature; elle croyait à un amour éternel, à un repos que rien ne devait troubler. Un instant j'eus envie d'essayer son courage et de lui dire qu'elle se trompait; mais ce courage me manqua à moimême. Comment auraisje pu, lorsqu'elle m'appelait son Messie, lorsqu'elle aussi, à dixsept ans, me traitait en génie de conte féerique, comme toi à dix ans, me résoudre à lui dire: «Le repos n'existe pas, l'amour n'est qu'un rêve de quelques années au plus; l'existence que je t'offre de partager avec moi sera pénible et douloureuse, comme toutes les existences de ce monde!» J'essayai bien de le lui faire comprendre lorsqu'elle me demanda, enfant qu'elle est! le serment d'un amour éternel. Elle feignit d'accepter tous les dangers de l'avenir, elle se persuada du moins qu'elle les acceptait; mais je vis bien qu'elle n'y croyait pas. Son découragement et sa consternation me prouvent assez maintenant qu'elle n'avait pas prévu les plus simples contrariétés de la vie ordinaire. Eh! que feraije aujourd'hui? Iraije lui parler en pédagogue de souffrance, de résignation et de silence? Iraije tout à coup la réveiller au milieu de son rêve et lui dire: «Tu es trop jeune, viens à moi qui suis vieux, afin que je te vieillisse? Voilà que ton amour s'en va; il en devait être ainsi, et il en sera de même de tous les bonheurs de ta vie!» Non. Si je n'ai pas su lui donner le présent, je veux lui laisser du moins l'avenir. Je ne puis pas causer avec elle, tu le vois! Il m'arriverait de me faire détester, et un matin elle lirait mes trentecinq ans sur mon visage. Il faut que je la traite en enfant le plus longtemps possible; au fait, je pourrais être son père, pourquoi dérogeraisje à ce rôle? Je ne la consolerai, je ne prolongerai son amour, s'il est possible, que par de douces paroles et de douces caresses; et quand elle ne m'aimera plus que comme un père, je la délivrerai de mes caresses et je l'entourerai de mes soins. Je ne me sens ni offensé ni blessé de sa conduite; j'accepte sans colère et sans désespoir la perte de mon illusion; ce n'est ni sa faute ni la mienne.

Mais je suis triste à la mort. O solitude! solitude du coeur!

XXX.

DE FERNANDE A CLÉMENCE.

Jacques m'a fait aujourd'hui un trèsgrand plaisir: il m'a donné une preuve de confiance. «Mou amie, m'atil dit, je désire appeler auprès de nous une personne que j'aime beaucoup, et que, j'en suis sûr, vous aimerez aussi. Il faudra que vous m'aidiez à l'arracher à la solitude où elle vit, et à l'attacher, au moins pour quelque temps, auprès de nous.Je ferai ce que vous voudrez, et j'aimerai qui tu voudras, aije répondu, à moitié triste et à moitié gaie, comme je suis souvent maintenant.Je ne t'ai jamais parlé, atil repris, d'une amie qui m'est bien chère, et que j'ai, pour ainsi dire, élevée: c'est la fille naturelle de mon meilleur ami, qui me l'a recommandée à son lit de mort. Ne me fais jamais de question à cet égard; j'ai fait serment de ne jamais dire le nom des parents de cette jeune fille qu'en de certaines circonstances dont moi seul puis être juge. C'est moi qui l'ai mise au couvent, et qui l'en ai retirée pour l'établir dans les divers pays où elle a désiré vivre, d'abord en Italie, puis en Allemagne, maintenant en Suisse; elle vit loin de la société, dans une indépendance que le monde trouverait bizarre, mais qui n'a rien que de raisonnable et de légitime chez celui qui ne demande rien au monde et qui ne s'ennuie pas de l'isolement.

Estelle jeune? aije demandé.Vingtcinq ans.Et jolie? aije ajouté avec précipitation.Trèsjolie,» a répondu Jacques sans paraître s'apercevoir de la rougeur qui me montait au visage. J'ai fait beaucoup d'autres questions sur son caractère, auxquelles Jacques a répondu de manière à me faire aimer cette inconnue; mais néanmoins j'ai fait un grand effort pour lui dire que j'aurais beaucoup de plaisir à l'avoir près de moi, et quand je me suis trouvée seule, j'ai senti que j'éprouvais tous les tourments de la jalousie. Je ne croyais certes pas que Jacques fût amoureux de cette femme et qu'il voulût l'amener dans notre maison pour en faire de nouveau sa maîtresse. Jacques est trop noble, trop délicat pour cela; mais je craignais que cette amitié si vive entre lui et cette jeune femme n'eût commencé par quelque autre sentiment. Il ne s'y sera pas abandonné, pensaisje; la raison et l'honneur auront vaincu cette tendresse trop vive pour sa protégée; mais il aura souvent été ému près d'elle; il n'aura pas vu impunément tant de beauté, d'esprit et de talents; il aura peutêtre songé plus d'une fois à en faire sa femme, et il lui sera resté au moins pour elle cet indéfinissable sentiment qu'on doit avoir pour l'objet d'un ancien amour. Jacques est si étrange quelquefois! Peutêtre qu'il veut la placer entre nous comme conciliatrice au milieu de nos chagrins; peutêtre qu'il me la proposera pour modèle, ou qu'au moins, comme elle sera beaucoup plus parfaite que moi, il fera malgré lui, quand j'aurai quelque tort, des comparaisons entre elle et moi qui ne seront point à mon avantage. Cette idée me remplissait de douleur et de colère; je ne sais pourquoi j'éprouvais un besoin invincible de questionner encore Jacques, mais je ne l'osais pas, et je craignais qu'il ne devinât mes soupçons. Enfin, vers le soir, comme nous causions assez gaiement de choses générales qui pouvaient avoir un rapport éloigné avec notre position, je pris courage, et, feignant de plaisanter, je lui demandai presque clairement ce que je désirais savoir. Il resta quelques instants silencieux; j'observai son visage, et il me fut impossible d'en interpréter l'expression. Jacques est souvent ainsi, et je défie qui que ce soit de savoir s'il est calme ou mécontent dans ces momentslà. Enfin, il me tendit la main, en me disant d'un air grave: «Estce que tu me croirais capable d'une lâcheté?Non, m'écriaije vivement en portant sa main à mes lèvres.Mais d'une trahison? ajoutatil.Non, non, jamais.Mais de quoi donc alors? car tu m'as soupçonné de quelque chose, ajoutatil en me regardant avec cet air de pénétration auquel je ne saurais résister.Eh bien, oui, répondisje avec embarras, je t'ai accusé d'imprudence.Expliquetoi, ditil.Non, répondisje; faismoi un serment, et je serai à jamais tranquille.Un serment entre nous! ditil d'un ton de reproche.Ah! tu sais que je suis faible, répondisje, et qu'il faut me traiter avec condescendance; que ton orgueil ne se révolte pas, et qu'il s'humanise un peu avec moi; juremoi que tu n'as jamais eu d'amour pour cette jeune personne et que tu es sûr de n'en avoir jamais.» Jacques sourit et me demanda de lui dicter la formule du serment. Je lui dis de jurer par son honneur et par notre amour. Il y consentit avec douceur et me demanda si j'étais contente. Alors, voyant que j'avais été folle, je me sentis trèshonteuse et craignis de l'avoir offensé; mais il me rassura par des paroles et des manières affectueuses. Je pense donc à présent que j'ai bien fait d'être franche et de lui avouer mes inquiétudes sans fausse honte. Avec quelques mots d'explication, il m'a tranquillisée pour toujours, et je n'ai plus la moindre répugnance à bien accueillir son amie. Peutêtre que si je lui avais toujours dit naturellement ce qui se passait dans ma pauvre tête, nous n'aurions jamais souffert. Depuis cette explication, je me sens heureuse et tranquille plus que je ne l'ai été depuis longtemps. Je suis reconnaissante de la complaisance que Jacques a eue de me rassurer par une formule qui me semble à moimême à présent réellement puérile, mais sans laquelle je serais peutêtre au désespoir aujourd'hui. En général, Jacques me traite ou trop en enfant, ou trop en grande personne; il s'imagine que je dois l'entendre à demimot, et ne jamais donner une interprétation déraisonnable à ce qu'il dit. S'il s'aperçoit qu'il n'en est point ainsi, il désespère de redresser mon jugement, et il m'abandonne à mon erreur avec une sorte de dédain qui m'offense, au lieu de m'accorder quelques paroles qui me guériraient complètement. Jacques est trop parfait pour moi, voilà ce qu'il y a de sûr; il ne sait pas assez me dissimuler mon infériorité; il sait consoler mon coeur, il ne sait pas ménager mon amourpropre. Je sens ce qu'il faudrait être pour être son égale, et je sens que cela me manque. Oh! combien mon sort est différent de ce que j'avais rêvé! Ni mon espoir, ni mes craintes ne se sont réalisés; Jacques est mille fois audessus de ce que j'avais espéré; je n'avais pas l'idée d'un caractère aussi généreux, aussi calme, aussi impassible; mais je comptais sur des joies que je ne trouve pas avec lui, sur plus d'abandon, d'épanchement et de camaraderie. Je me croyais son égale, et je ne le suis pas.

XXXI.

DE JACQUES A SYLVIA.

Il semble que Fernande caresse maintenant ses puérilités, elle en rougissait d'abord, elle les cachait; je feignais, pour ménager son orgueil, de ne pas m'en apercevoir, je pouvais alors espérer qu'elle les vaincrait; à présent elle les montre ingénument, elle en rit, elle s'en vante presque; j'en suis venu à m'y plier entièrement, et à la traiter comme un enfant de dix ans. Oh! si j'avais moimême dix ans de moins, j'essaierais de lui montrer qu'au lieu d'avancer dans la vie morale elle recule, et perd, à écarter les moindres épines de son chemin, le temps qu'elle pourrait employer à s'ouvrir une nouvelle route, plus belle et plus spacieuse, mais je crains trop le rôle de pédant et je suis trop vieux pour le risquer. Il y a quelques jours, je lui parlai de toi et du désir que j'avais de t'attirer pour quelque temps près de nous; les questions qu'elle me fit sur ton âge et sur ta figure me montrèrent assez ses perplexités, et elle finit par me demander un serment solennel qui lui assurât que je n'avais pour toi que les sentiments d'un frère. Elle ne trouva pas dans son coeur, dans son estime pour moi, une garantie assez forte contre ces misérables soupçons; elle me crut capable de l'avilir et de la désespérer pour mon plaisir! elle s'abandonna à ces craintes tout un jour, et quand j'eus fait le serment qu'elle exigeait, elle se trouva parfaitement contente. Hélas! toutes les femmes, excepté toi, Sylvia, se ressemblent donc! J'ai fait avec douceur ce que demandait Fernande, mais j'ai cru relire un des éternels chapitres de ma vie.

Oh! qu'elle est insipide et monotone cette vie en apparence si agitée, si diverse et si romanesque! Les faits diffèrent entre eux par quelques circonstances seulement, les hommes par quelques variétés de caractère; mais me voici, à trentecinq ans, aussi triste, aussi seul au milieu d'eux que lorsque j'y fis mes premiers pas; j'ai vécu en vain. Je n'ai jamais trouvé d'accord et de similitude entre moi et tout ce qui existe; estce ma faute? estce celle d'autrui? Suisje un homme sec et dépourvu de sensibilité? ne saisje point aimer? aije trop d'orgueil? Il me semble que personne n'aime avec plus de dévouement et de passion; il me semble que mon orgueil se plie à tout, et que mon affection résiste aux plus terribles épreuves. Si je regarde dans ma vie passée, je n'y vois qu'abnégation et sacrifice; pourquoi donc tant d'autels renversés, tant de ruines et un si épouvantable silence de mort? Qu'aije fait pour rester ainsi seul et debout au milieu des débris de tout ce que j'ai cru posséder? Mon souffle faitil tomber en poussière tout ce oui rapproche? Je n'ai pourtant rien brisé, rien profané; j'ai passé en silence devant les oracles imposteurs, j'ai abandonné le culte qui m'avait abusé sans écrire ma malédiction sur les murs du temple; personne ne s'est retiré d'un piège avec plus de résignation et de calme. Mais la vérité que je suivais secouait son miroir étincelant, et devant elle le mensonge et l'illusion tombaient, rompus et brisés comme l'idole de Dagon devant la face du vrai Dieu; et j'ai passé en jetant derrière moi un triste regard et en disant: «N'y atil rien de vrai, rien de solide dans la vie, que cette divinité qui marche devant moi en détruisant tout sur son passage et en ne s'arrêtant nulle part?»

Pardonnemoi ces tristes pensées, et ne crois pas que j'abandonne ma tâche; plus que jamais je suis déterminé à accepter la vie. Dans deux mois je serai père; je n'accueille point cette espérance avec les transports d'un jeune homme, mais je reçois cet austère bienfait de Dieu avec le recueillement d'un homme qui comprend le devoir. Je ne m'appartiens plus, je ne donnerai plus à mes tristes pensées la direction qu'elles eurent souvent; je ne saurais m'abandonner à ces joies puériles de la paternité, à ces rêves ambitieux dont je vois les autres occupés pour leur postérité; je sais que j'aurai donné la vie à un infortuné de plus sur la terre, voilà tout. Ce que j'ai à faire, c'est de lui enseigner comment on souffre sans se laisser avilir par le malheur.

J'espère que cet événement distraira Fernande et dirigera toutes ses sollicitudes vers un but plus utile que de tourmenter et d'interroger sans cesse un coeur qui lui appartient et qui ne s'est rien réservé en s'abandonnant à elle; si elle n'est pas guérie de cette maladie morale lorsqu'elle aura son enfant dans les bras, il faudra que tu viennes t'asseoir entre nous, Sylvia, pour rendre notre vie plus douce, et prolonger autant que possible ce demiamour, ce demibonheur qui nous reste. J'espère de ta présence un grand changement: ton caractère fort et résolu étonnera Fernande d'abord, et puis lui fera, je n'en doute pas, une impression salutaire; tu protégeras mon pauvre amour contre les conseils de sa pusillanimité, et peutêtre contre ceux de sa mère. Elle reçoit des lettres qui l'attristent beaucoup; je ne veux rien apprendre à cet égard, mais, je le vois clairement, quelque dangereuse amitié ou quelque malice cruelle envenime ses douleurs. Oh! que ne peutelle les verser dans un coeur digne de les adoucir! Mais les épanchements de l'amitié sont funestes pour un caractère comme le sien, quand ils ne sont pas reçus dans une âme d'élite. Je n'ai rien à faire pour remédier à ce mal: jamais je n'agirai en maître, dûton égorger mon bonheur dans mes bras.

XXXII.

DE FERNANDE A CLÉMENCE.

Nos jours s'écoulent lentement et avec mélancolie. Tu as raison, il me faudrait quelque distraction; avec l'espèce de spleen que j'ai, on meurt vite à mon âge si l'on est abandonné a la mauvaise influence; on guérit vite aussi et facilement si l'on est arraché à ces préoccupations funestes; car la nature a d'immenses ressources; mais le moyen dans ce momentci! Je touche au dernier terme de ma grossesse, et je suis si souffrante et si fatiguée que je suis forcée de rester tout le jour sur une chaise longue; je n'ai pas la force de m'occuper par moimême. Je surveille les travaux de ma layette, que je fais exécuter par Rosette; j'ai obtenu de Jacques qu'il la rappelât; elle travaille fort bien, elle est fort douce e quelquefois assez drôle. Quand Jacques n'est pas auprès de moi, je la fais asseoir près de mon sofa pour me distraire; mais au bout d'un instant elle m'ennuie. Jacques est devenu, ce me semble, d'une gravité effrayante, il fume cinq heures sur six. Autrefois, j'avais un plaisir extrême a le voir étendu sur un tapis et fumant des parfums; il est vraiment trèsbeau dans cette attitude nonchalante et avec une robe de chambre de soie à fleurs, qui lui donne l'air tout à fait sultan. Mais c'est un coup d'oeil dont je commence à me lasser à force d'en jouir; je ne comprends pas qu'on puisse rester si longtemps dans ce morne silence et dans cette immobilité, sans devenir soimême tapis, carreau ou fumée de tabac. Jacques semble noyé dans la béatitude. A quoi peutil penser si longtemps? Comment un esprit aussi actif peutil subsister dans un corps si indolent? Je me permets quelquefois de croire que son imagination se paralyse, que son âme s'endort, et qu'un jour on nous trouvera changés tous deux en statues. Cette pipe commence à m'ennuyer sérieusement; je serais trèssoulagée si je pouvais le dire un peu; mais aussitôt Jacques casserait toutes ses pipes d'un air tranquille et se priverait à jamais du plus grand plaisir qu'il ait peutêtre dans la vie. Les hommes sont bien heureux de s'amuser de si peu de chose! Ils prétendent que nous sommes des êtres puérils; pour moi, il me serait impossible de passer les trois quarts de la journée à chasser de ma bouche des spirales de fumée plus ou moins épaisses. Jacques y trouve de telles délices que jamais femme ne me fera plus de tort dans son coeur que sa pipe de bois de cèdre incrustée de nacre. Pour lui plaire, je serai forcée do me faire envelopper d'une écorce semblable, et de me coiffer d'un turban d'ambre surmonté d'une pointe.

Voilà la première fois, depuis bien des jours, que je me sens la force de rire de mon ennui; ce qui m'inspire ce courage, c'est l'espoir d'être bientôt mère d'un beau petit enfant qui me consolera de tous les dédains de M. Jacques. Oh! comme je l'aime déjà! comme je le rêve joli et couleur de rose! Sans les châteaux en Espagne que je fais sur son compte du matin au soir, je périrais de mélancolie; mais je sens que mon enfant me tiendra lieu de tout, qu'il m'occupera exclusivement, qu'il dissipera tous les nuages qui ont obscurci mon bonheur. Je suis trèsoccupée à lui chercher un nom, et je feuillette tous les livres de la bibliothèque sans en trouver un qui me semble digne de ma tille ou de mon fils. J'aimerais mieux avoir une fille, Jacques dit qu'il le désire à cause de moi; je le trouve un peu trop indifférent à cet égard. Si je lui donne un fils, il prendra cela comme une grâce du hasard et ne m'en saura aucun gré. Je me souviens des transports de joie et d'orgueil de M. Borel, lorsque Eugénie est accouchée d'un garçon. Le pauvre homme ne savait comment lui prouver sa reconnaissance; il a été à Paris en poste lui acheter un écrin magnifique. C'est bien enfant pour un vieux militaire, et pourtant cela était touchant comme toutes les choses simples et spontanées. Jacques est trop philosophe pour s'abandonner à de semblables folies: il se moque des longues discussions que j'ai avec Rosette pour la forme d'un bonnet et le dessin d'une chemisette. Cependant il s'est occupé du berceau avec beaucoup d'attention; il l'a fait refaire deux ou trois fois, parce qu'il ne le trouvait pas assez aéré, assez commode, assez assuré contre les accidents qui pouvaient y atteindre son héritier. Certainement il sera bon père; il est si doux, si attentif, si dévoué à tout ce qu'il aime, ce pauvre Jacques! vraiment, il mériterait une femme plus raisonnable que moi. Je gage qu'avec toi, Clémence, il eût été le plus heureux des hommes. Mais il faudra qu'il se contente de sa pauvre folle de Fernande, car je ne suis pas disposée à l'abandonner aux consolations d'une autre, pas même aux tiennes. Je te vois d'ici pincer les lèvres d'un petit air dédaigneux et dire que j'ai bien mauvais ton; que veuxtu? quand on s'ennuie!

Ma mère m'écrit lettres sur lettres, elle est réellement trèsbonne pour moi; Jacques et toi, vous avez tort de lui en vouloir. Elle a des défauts et des préjugés qui, dans l'intimité, la rendent quelquefois un peu desagréable; mais elle a un bon coeur, et elle m'aime véritablement. Elle s'inquiète de mon état plus que de raison, et parle de venir m'assister dans mes couches; je le désirerais pour moi, mais je crains pour Jacques, qui ne peut pas la souffrir. Je suis malheureuse en tout; pourquoi cette antipathie pour une personne qu'il connaît assez peu et qui n'a jamais eu que de bons procédés envers lui? cela me semble injuste, et je ne reconnais pas là la calme et froide équité de Jacques. Il faut donc que chacun ait son caprice, même lui qui est si parfait et à qui cela sied si peu!

XXXIII.

DE JACQUES A SYLVIA.

Ma femme est mère de deux jumeaux, un fils et une fille, tous deux forts et bien constitués; j'espère qu'ils vivront l'un et l'autre. Fernande les nourrit alternativement avec une nourrice, afin, ditelle, de ne pas faire de jaloux; elle est tellement occupée d'eux que désormais j'espère qu'elle aura peu de temps pour s'affliger de tout ce qui leur sera étranger. Maintenant elle reporte sur eux toute sa sollicitude, et je suis obligé d'interposer mon autorité pour qu'elle ne les fasse pas mourir par l'excès de sa tendresse: elles les réveille quand ils sont endormis pour les allaiter, et les sèvre quand ils ont faim; elle joue avec eux comme un enfant avec un nid d'oiseaux; elle est vraiment bien jeune pour être mère! Je passe mes journées auprès de ce berceau; je vois que déjà, moi homme, je suis nécessaire à ces créatures à peine écloses. La nourrice, comme toutes les femmes de sa classe, est remplie d'imbéciles préjugés auxquels Fernande ajoute foi plus volontiers qu'aux simples conseils du bon sens; heureusement elle est si bonne et si douce, qu'elle accorde à une prière affectueuse ce que ne lui inspire pas son jugement.

J'éprouve, depuis que j'ai ces deux pauvres enfants, une mélancolie plus douce; penché sur eux durant des heures entières, je contemple leur sommeil si calme et ces faibles contractions des traits qui trahissent, à ce que je m'imagine, l'existence de la pensée chez eux. Il y a, j'en suis sûr, de vagues rêves des mondes inconnus dans ces âmes encore engourdies; peutêtre qu'ils se souviennent confusément d'une autre existence et d'un étrange voyage à travers les nuées de l'oubli. Pauvres êtres, condamnés à vivre dans ce mondeci, d'où viennentils? serontils mieux ou plus mal dans la vie qu'ils recommencent? Puisséje leur en alléger le poids pendant quelque temps! mais je suis vieux, et ils seront encore jeunes quand je mourrai...

J'ai eu une légère contestation avec Fernande pour leurs noms; je la laissais absolument libre de leur donner ceux qui lui plairaient, à condition que ni l'un ni l'autre ne recevraient celui de sa mère, et précisément elle désirait que sa fille s'appelât Robertine; elle m'objectait l'usage, le devoir. J'ai été presque obligé de lui dire que son devoir était de m'obéir; j'ai horreur de ces mots et de cette idée; mais je haïrais ma fille si elle portait le nom d'une pareille femme. Fernande a beaucoup pleuré en disant que je voulais la brouiller avec sa mère, et elle s'est rendue malade pour cette contrariété. En vérité, je suis malheureux. Tu devrais venir près de nous, mon amie; tu devrais essayer de combattre l'influence que l'on exerce sur elle à mon préjudice. Je ne sais pas si ma prière est indiscrète; tu ne m'as rien dit d'Octave depuis bien longtemps, et comme il me semble que tu affectes de ne m'en point parler, je n'ose pas t'interroger. S'il est auprès de toi, si tu es heureuse, ne me sacrifie pas un seul des beaux jours de ta vie; ces jourslà sont si rares! Si tu es seule, si tu n'as pas de répugnance à venir, consultetoi.

XXXIV.

DE SYLVIA A OCTAVE.

Des circonstances étrangères à vous et à moi, et sur lesquelles il m'est impossible de vous donner le moindre renseignement, me forcent à partir, je ne saurais vous dire pour combien de temps. Je tâcherais de m'expliquer davantage et d'adoucir par des promesses ce que cette nouvelle peut avoir pour vous de désagréable, si je croyais que votre amour pût supporter cette épreuve; mais, si légère qu'elle soit, elle sera encore audessus de vos forces, et je ne prendrai point une peine inutile, dont vous ririez vousmême au bout de quelques jours. Vous êtes donc absolument libre de chercher les distractions qui vous conviendront, je ne puis rien pour votre bonheur, et vous encore moins pour le mien. Nous nous aimons réellement, mais sans passion. Je me suis imaginé quelquefois, et vous bien souvent, que cet amour était beaucoup plus fort qu'il ne l'est en effet; mais, à voir les choses comme elles sont, je suis votre ami, voire frère, bien plus que votre compagne et votre maîtresse; tous nos goûts, toutes nos opinions diffèrent; il n'est point de caractères plus opposés que les nôtres. La solitude, le besoin d'aimer, et des circonstances romanesques, nous ont attachés l'un à l'autre; nous nous sommes aimés loyalement, sinon noblement. Votre amour inquiet et soupçonneux me faisait continuellement rougir, et ma fierté vous a souvent blessé et humilié. Pardonnezmoi les chagrins que je vous ai causés, comme je vous pardonne ceux qui me sont venus de vous; après tout, nous n'avons rien à nous reprocher mutuellement. On ne refait pas son âme tout entière, et il eût fallu que ce miracle s'opérât en vous ou en moi, pour faire de notre amour un lien assorti et durable. Nous ne nous sommes jamais trompés, jamais trahis; que ce souvenir nous console des maux que nous avons soufferts, et qu'il efface celui de nos querelles. J'emporte de vous l'idée d'un caractère faible, mais honnête, d'une âme non sublime, mais pure; vous avez bien assez de qualités pour faire le bonheur d'une femme moins exigeante et moins rêveuse que moi. Je ne conserve aucune amertume contre vous. Si mon amitié a pour vous quelque prix, soyez assuré qu'elle ne vous manquera jamais; mais ce que j'ai encore d'amour pour vous dans le coeur ne peut servir qu'à nous faire souffrir l'un et l'autre. Je travaillerai à l'étouffer; et, quoi qu'il en arrive, vous pouvez disposer de vousmême comme vous l'entendrez; jamais vestige de cet amour n'entravera les voies de votre avenir.

XXXV.

DE FERNANDE A CLÉMENCE.

L'inconnue est arrivée. Ce matin, Rosette est venue appeler Jacques d'un air tout mystérieux, et, peu d'instants après, Jacques est rentré, tenant par la main une grande jeune personne en habit de voyage, et la poussant dans mes bras, il m'a dit: «Voilà mon amie, Fernande; si tu veux me rendre bien heureux, sois aussi la sienne.» Elle est si belle, cette amie, que, malgré moi, j'ai fait un pas en arrière, et j'ai un peu hésité à l'embrasser; mais elle m'a jeté ses bras autour du cou en me tutoyant, et en me caressant avec tant de franchise et d'amitié, que les larmes me sont venues aux yeux, et que je me suis mise à pleurer, moitié de plaisir, moitié de tristesse, et vraiment sans trop savoir pourquoi, comme il m'arrive souvent. Alors Jacques, nous entourant chacune d'un de ses bras, et déposant un baiser sur le front de l'étrangère et un baiser sur mes lèvres, nous a pressées toutes deux sur son coeur, en disant: «Vivons ensemble, aimonsnous, aimonsnous; Fernande, je te donne une bonne, une véritable amie; et toi, Sylvia, je te confie ce que j'ai de plus cher au monde. Aidemoi à la rendre heureuse, et quand je ferai quelque sottise, grondemoi; car, pour elle, c'est un enfant qui ne sait pas exprimer sa volonté. O mes deux filles! aimezvous, pour l'amour du vieux Jacques qui vous bénit.» Et il s'est mis à pleurer comme un enfant. Nous avons passé tout le jour ensemble; noua avons promené Sylvia dans tous les jardins. Elle a montré une tendresse extrême pour mes jumeaux, et veut remplacer Rosette dans tous les soins dont ils auront besoin. Elle est vraiment charmante, cette Sylvia, avec son ton brusque et bon, ses grands yeux noirs si affectueux et ses manières franches. Elle est Italienne, autant que j'en puis juger par son accent et par une espèce de dialecte qu'elle parle avec Jacques. Ce dernier point me contrarie bien un peu; ils peuvent se dire tout ce qu'ils veulent, et je comprends à peine quelques mots de leur entretien. Mais que je sois jalouse ou non, il m'est impossible de ne pas aimer une personne qui semble si dévouée à m'aimer. Elle s'est retirée de bonne heure, et Jacques m'a remerciée du bon accueil que je lui avais fait, avec une chaleur de reconnaissance qui m'a fait à la fois de la peine et du plaisir. Je suis bien contente de trouver une occasion de prouver à Jacques que je lui suis soumise aveuglément, et que je puis sacrifier les faiblesses de mon caractère au désir de le rendre heureux. Mais enfin, saistu, Clémence, que tout cela est bien extraordinaire, et qu'il y a bien peu de femmes qui pussent voir, sans souffrir, une amitié si vive entre leur mari et une autre femme jeune et belle? Quand j'ai consenti à la recevoir, je ne savais pas, je ne pouvais pas imaginer qu'il l'embrasserait, qu'il la tutoierait ainsi. Je sais bien que cela ne prouve rien. Il m'a juré qu'il n'avait jamais eu et qu'il n'aurait jamais d'amour pour elle. Ainsi je ne puis pas m'inquiéter de leur intimité. Il la regarde et il la traite comme sa fille. Néanmoins, cela me fait un singulier effet d'entendre Jacques tutoyer une autre femme que moi. Il devrait bien ménager ces petites susceptibilités; qui ne les aurait à ma place? Dismoi ce que tu penses de tout cela, et si tu crois que je puis me fier à cette Sylvie. Je le voudrais bien, car elle me plaît extrêmement, et il m'est impossible de résister à des manières si naturelles et si affectueuses.

XXXVI.

DE CLEMENCE A FERNANDE.

Je pense, mon amie, qu'il serait absurde, vil et injuste de soupçonner M. Jacques d'avoir amené sa maîtresse dans la maison. Ainsi je ne vois pas de quoi tu te tourmentes, car tu ne peux pas mépriser ton mari au point d'avoir contre lui un pareil soupçon. Que t'importe la beauté de cette jeune personne? Cela pourrait être d'un grand danger si ton mari avait dixhuit ans; mais je pense qu'il est d'âge à savoir résister à de pareilles séductions, et que, s'il eût dû être sensible à cellelà, il n'aurait pas attendu, pour s'y livrer, qu'il fût marié avec yoi. Sois donc sûre que tu es trèsfolle, et je dirais presque trèscoupable de ne pas accueillir cette amie avec une confiance entière. Si cette confiance est audessus de tes forces, pourquoi astu demandé la parole de ton mari, et comment ressenstu de la bienveillance et de l'amitié pour elle, si tu la crois assez infâme et assez effrontée pour venir te supplanter jusque chez toi?

La pensée de ce danger ne m'est jamais venue; mais, du moment que tu m'as raconté l'entretien que tu as eu à son égard avec M. Jacques, j'ai prévu de trèsgraves inconvénients à cette triple amitié. Je ne sais si je dois te les signaler maintenant; tu n'aurais pas assez de caractère pour les éviter, et tu t'en apercevras bien assez tôt. Le moindre de tous sera le jugement que le monde portera sur cette trinité romanesque. J'ai observé assez de choses qui sortaient de l'ordre accoutumé, pour savoir que les apparences ne prouvent pas toujours. Ainsi tu vois que, de tout mon coeur, je crois à l'honnêteté de votre intimité; mais le monde, qui ne tient aucun compte des exceptions, vous couvrira d'infamie et de ridicule si vous n'y prenez garde. Ce tutoiement entre vous, qui, par luimême, est une chose innocente et naturelle, suffira pour noircir, dans l'esprit de tous, l'affection de M. Jacques pour madame ou mademoiselle Sylvia. Et toimême, pauvre Fernande, tu ne seras pas épargnée. Il serait bon de donner tout de suite à votre étrangère, aux yeux du monde, un autre titre à votre intimité que celui d'amie et de fille adoptive de M. Jacques. Il faudrait qu'il la fît passer pour ta demoiselle de compagnie, et qu'elle ne montrât pas devant les étrangers combien elle est familière avec vous. Puisque ton mari ne veut révéler sa naissance à personne, il pourrait faire un honnête mensonge, et dire à l'oreille de plusieurs, en feignant de confier une espèce de secret, que Sylvia est sa soeur naturelle. Le secret passerait tout bas de bouche en bouche et arrêterait surlechamp les insolents commentaires. Je te conseille d'en parler à ton mari, et de lui présenter mes craintes comme venant de toi, et d'obtenir qu'il mette en ceci la prudence qui convient. Je m'étonne qu'il ne l'ait pas eue de luimême. Peutêtre qu'en effet Sylvia est sa soeur, et que c'est là précisément ce qu'il veut cacher; mais comment atil manqué de confiance envers toi au point de ne pas te le dire en secr

XXXVII.

DE FERNANDE A CLÉMENCE.

Ce que tu m'as conseillé ne m'a pas réussi. Je n'ai exposé à Jacques qu'une bien petite partie des inconvénients que tu me signales, et il m'a regardée d'un air stupéfait en me disant: «Où astu pris toute cette prudence? Depuis quand t'inquiètestu du monde à ce point?» Il a ajouté d'un air triste: «Il est vrai que tu es destinée à y vivre. Je me suis abusé en m'imaginant que tu t'ensevelirais avec moi dans cette solitude. Tu sens déjà le désir de te lancer dans la société, et tu t'inquiètes de ce qui pourrait y gêner ton entrée. C'est tout simple.Oh! ne crois pas cela, Jacques, lui aije répondu; je ne serai heureuse que là où tu seras, et où tu seras joyeux d'être. Je ne pense jamais au monde, je sais à peine ce que c'est; mais je parle dans l'intérêt de Sylvia et dans le tien. Votre réputation à tous deux m'est plus chère que la mienne.» Jacques est resté quelque temps sans répondre, et j'ai remarqué cette légère contraction du sourcil qui chez lui exprime un dépit concentré. En même temps, il y avait sur ses lèvres un sourire d'ironie, et j'ai compris que ce que je disais lui semblait trèsridicule dans ma bouche. Cependant il a étouffé l'envie qu'il avait de me railler, et il m'a répondu d'un air sérieux et calme: «Il y a longtemps, ma chère enfant, que j'ai rompu avec le monde. Il dépendra de toi que je vive encore au milieu de ses plaisirs et de son oisive turbulence. Si cela te tente, nous irons; mais sache qu'il n'y aura jamais la moindre sympathie entre lui et moi, et que, comme je ne cède qu'aux conseils de mon coeur ou de ma conscience, jamais, pour obtenir son appui et son approbation, je ne lui ferai le plus léger sacrifice. Je dirai plus, mon orgueil ne se pliera jamais à la moindre concession. Le monde en pensera ce qu'il voudra; j'ai trente ans d'honneur derrière moi; si cela ne suffit pas pour me mettre à l'abri des plus infâmes soupçons, tant pis pour le monde. Je crois pouvoir dire que cette profession de foi est à peu près celle de Sylvia; et, en outre, Sylvia n'aura jamais de relations avec la société. Elle n'aura donc jamais à combattre les inconvénients de son indépendance. Quant à toi, ma chère enfant, tu es ici au fond d'un désert, où personne ne viendra épier nos paroles, nos pensées ou nos regards; la méchanceté ne t'atteindra pas jusquelà. Quand tu voudras sortir de cette solitude, sois sûre que Sylvia ne te suivra pas à Paris, et que la société de ta mère n'aura pas lieu de te faire sur son compte des questions embarrassantes.»

Il m'a semblé que Jacques avait raison et que j'avais fait une sottise. J'ai essayé de la réparer, mais sans succès. «Je ne m'inquiète pas du monde, je n'y veux pas aller, aije répondu; mais nos domestiques, que dirontils, que penserontils de votre intimité?Je ne suis pas habitué, a répondu Jacques avec beaucoup de hauteur, à m'occuper de ce que mes domestiques disent et pensent de moi. J'agis de manière à ne leur donner jamais d'exemple scandaleux, et je crois qu'il n'y a pas de meilleurs juges de l'innocence de notre conduite que ces témoins dont nous sommes entourés, et qui, à toute heure, savent les moindres détails de notre vie. Je ne sais pas s'ils trouveront la présence de Sylvia et sa familiarité avec nous conforme aux lois du décorum; mais, à coup sûr, ils ne la trouveront jamais contraire à celles de l'honnêteté.» Jacques s'est tu, et s'est promené dans la chambre d'un air sombre. Je lui ai adressé plusieurs fois la parole sans qu'il m'entendît. Enfin il allait sortir de l'appartement quand je me suis élancée vers lui. J'ai vu que je lui avais horriblement déplu, et j'ai cru deviner qu'il prenait en luimême quelque résolution dans le genre de celles qui ont fait disparaître l'année dernière la maudite romance et la pauvre Rosette. Je l'ai arrêté. «Ecoute, Jacques, lui aije dit, tout effrayée, j'ai eu tort, sans doute, et j'ai dit mille absurdités. Pour l'amour du ciel, n'en parle pas à Sylvia, ne me retire pas son amitié; c'est bien assez de me retirer ton amour.» Je suis tombée sur une chaise; j'étais près de me trouver mal. Jacques m'a embrassée avec la tendresse et la ferveur des premiers jours. «Je te promets d'oublier absolument cette conversation, m'atil dit, et de n'en jamais parler à Sylvia. Il est trop évident que ce n'est pas toi, mais une autre, qui a parlé par ta bouche. Tu es bonne, ma pauvre Fernande; aie donc la force de n'écouter d'autres conseils que ceux de ton coeur.»

Jacques est toujours préoccupé de l'idée que ma mère m'excite contre lui. Il est bien vrai qu'elle ne l'aime pas beaucoup; mais il se trompe s'il croit que je lui raconte ce qui se passe dans notre intérieur. Ce n'est qu'avec toi que je puis avoir cette confiance. Maudit soit l'éloignement qui me rend souvent tes conseils plus nuisibles qu'utiles! Tantôt je t'explique ma situation trop mal pour que tu puisses la bien juger; d'autres fois j'emploie maladroitement les moyens que tu me donnes de l'améliorer. Aussi il faut convenir que je suis bien étourdie ou bien bornée de ne savoir pas suppléer à ce que tu ne peux prévoir! J'étais bien tranquille et bien heureuse quand l'idée m'est venue de faire cette belle ouverture qui a troublé et affecté Jacques sérieusement. Notre vie était devenue beaucoup plus agréable. Dieu veuille qu'elle ne redevienne pas malheureuse par ma faute!

La présence de Sylvia nous a fait vraiment beaucoup de bien. Il est impossible d'être meilleure et plus aimable. C'est un caractère original et comme je n'en ai jamais rencontré. Elle est active, fière et décidée. Rien ne l'embarrasse, rien ne l'étonne; elle a plus d'esprit et de savoir dans son petit doigt que moi dans toute ma personne, et sa conversation est plus instructive pour moi que tous les livres que j'ai lus. Moins silencieuse et plus expansive que Jacques, elle devine mieux que lui tout ce que je ne puis comprendre, et elle va audevant de mes questions. Quoiqu'elle ait le caractère enjoué et un peu moqueur, elle me semble avoir l'esprit rempli d'idées fort tristes, et cela m'étonne. A son âge, et avec tous les avantages qu'elle tient de la nature, il faut qu'elle ait eu quelque passion malheureuse. Je la crois enthousiaste. À la manière dont elle témoigne son amitié, on voit que son coeur est plein de feu et de dévouement; peutêtre, étant plus jeune, atelle mal placé ses affections. Elle semble avoir conservé une sorte de dépit contre l'amour, car elle en parle comme d'un rêve sans lequel la vie est prosaïque, mais douce et facile. Elle me demande souvent si je ne pense pas qu'on puisse s'en passer. Moi je prétends que, quand on l'a connu, on ne peut y renoncer sans mourir d'ennui et de tristesse. Jacques nous écoute d'un air mélancolique, et à tout ce que nous disons, répond la même sentence; «C'est selon.» Avec cela il ne se compromettra pas. Nous faisons de grandes promenades; Sylvia m'apprend la botanique et l'entomologie. Le soir, nous chantons des trios qui vraiment vont trèsbien. Sylvia a un contralto admirable, et chante d'une manière tellement supérieure, qu'elle pourrait certainement faire une grande fortune comme cantatrice. «Avec le mépris que tu as pour les préjugés les plus enracinés de ce monde, lui disaisje hier soir, je m'étonne qu'une destinée si libre et si brillante ne t'ait pas tentée.Je l'aurais essayée bien certainement, m'atelle répondu, si je n'avais pas eu d'autre moyen d'existence; mais le petit héritage que Jacques m'a transmis de la part de mes parents a toujours suffi à mes besoins. J'ai été libre de suivre mes goûts, qui me portaient vers une vie obscure et solitaire. Ce qui me serait odieux, ce serait la dépendance. Si je me sentais condamnée à vivre d'une telle manière et dans un tel lieu, je prendrais ce lieu et cette vie en horreur, quelque conformes qu'ils fussent d'ailleurs à mes penchants. Avec l'idée que je puis demain aller où bon me semble, je suis capable de rester vingt ans dans un ermitage.Toute seule? aije dit.Si j'y pouvais vivre avec un coeur qui comprît bien le mien, j'y vivrais heureuse; sinon mieux vaut la solitude, et toute seule je puis vivre calme. N'estce pas déjà beaucoup?Eh quoi! lui aije dit, la solitude ne t'a jamais effrayée pour l'avenir? tu n'as jamais désiré te marier pour avoir un appui, un ami de toute la vie; pour être mère, Sylvia, ce qu'il y a de plus doux au monde?Je n'ai peur ni de l'avenir ni du présent, m'atelle répondu; j'aurai la force de vieillir sans désespoir. Je ne sens pas le besoin d'un appui; j'ai assez de courage pour suffire à tous les maux de la vie. Quant à trouver un ami qui ne me manque jamais, c'est un bonheur accordé à une femme sur mille. Tu es bien enfant, Fernande. si tu crois qu'il entre dans la destinée de toutes de rencontrer un mari comme le tien; et, quant au bonheur de la maternité, je le comprends, je saurais l'apprécier; mais je n'ai pas encore rencontré l'homme que j'eusse été joyeuse d'associer à ce rôle sacré. Je ne me flatte pas de le rencontrer jamais. Si cela m'arrive, j'en profiterai; mais je ne suis pas assez romanesque pour espérer ce qui est invraisemblable, ni assez faible pour souffrir d'un désir que je ne puis réaliser.Tu as l'âme bien forte, lui disje. Quant à moi, si je perdais mon mari et mes enfants, je n'espérerais pas remplacer Jacques; je ne désirerais pas associer, comme tu dis, un autre homme au rôle sacré de la paternité; je me laisserais mourir.Tu le pourrais peutêtre, atelle dit. Pour moi, je suis douée d'une telle vigueur, que je ne pourrais me débarrasser de la vie que d'une manière violente.» Elle parlait avec sa voix de basse dans le grand salon, où l'obscurité nous avait peu à peu gagnées; de temps on temps elle frappait un accord mélancolique sur le piano; en ce moment elle fit une modulation si bizarre et si triste, qu'il me passa un frisson dans tous les nerfs. «Oh! mon Dieu, m'écriaije, tu me fais peur ce soir; je ne sais pas de quoi nous nous avisons de parler!» J'ai traversé le salon pour tirer la sonnette et demander des bougies, et je me suis figuré que quelqu'un se levait de dessus le sofa en même temps que moi. J'ai fait un grand cri et me suis élancée vers Sylvia à demi morte de frayeur. «Oh! que tu es enfant et pusillanime pour être la femme de Jacques!» m'atelle dit d'un ton où il entrait un peu de reproche. Elle s'est levée pour aller tirer la sonnette. «Ne me quitte pas! me suisje écriée; il y a quelqu'un dans la chambre, j'en suis sûre, là, du côté du canapé.Si cela est, je ne vois pas de quoi tu as pour, car ce ne peut être que Jacques.Estce, toi, Jacques?» me suisje écriée d'une voix tremblante. Jacques s'est approché de nous, nous a entourées de ses bras, et nous a embrassées toutes deux. «Va donc chercher de la lumière, méchant!» lui aije dit. Il est sorti sans répondre et n'est rentré qu'une demiheure après. Nous étions installées déjà, moi à mon métier, Sylvia à copier de la musique. «Tu as une femme bien brave,» lui a dit Sylvia avec son ton de gaieté qui est toujours un peu brusque. Il a fait semblant de n'y rien comprendre, sans doute pour me mystifier, et il a prétendu qu'il était dans le parc depuis plus d'une heure, et qu'il n'en était pas sorti un instant.

Mes enfants se portent à merveille et grossissent à vue d'oeil comme des poussins. Jacques me contrarie bien un peu quelquefois à leur égard. Il s'en occupe plus qu'il ne convient à un homme, et prétend que je n'y entends rien. Sylvia se met entre nous; elle emporte le berceau et dit: «Cela ne vous regarde ni l'un ni l'autre; ces enfantslà sont à moi.»

XXXVIII

DE FERNANDE A CLÉMENCE.

Lundi.

Décidément, ma chère, il y a un revenant dans la maison; Jacques et Sylvia en rient; pour moi, je ne suis pas rassurée du tout. Ou c'est un monsieur trèseffronté qui vient faire un petit roman sous nos fenêtres, ou c'est un voleur bien élevé, qui s'y prend de cette manière pour s'introduire dans la maison. Le jardinier a vu se promener une ombre autour de la pièce d'eau, à deux heures du matin, et il a eu une telle peur qu'il en est malade. Pauvre homme! il n'y a que moi qui le plaigne. Les chiens ont fait des hurlements épouvantables toute la soirée. J'ai conjuré Jacques d'y faire attention, et il n'en a tenu compte; il est sorti avec Sylvia pour voir rentrer les foins dans une métairie voisine, et ils n'ont pas voulu me laisser aller avec eux, parce qu'il tomba beaucoup d'humidité dans notre vallée à cette heureci, et que je suis trèsenrhumée. Je commençais à rire moimême de mes frayeurs, et je m'apprêtais à t'écrire tranquillement, quand j'ai entendu sous ma fenêtre le son d'un hautbois. Je n'ai d'abord songé qu'au plaisir de l'écouter, persuadée que c'était un de ces mille talents que Jacques possède et que je découvre en lui tous les jours. Je me suis mise à la fenêtre, et, après qu'il a eu fini, je lui ai dit en me penchant sur le balcon: «Comme un ange! Voilà mon gage, beau ménestrel.» Alors j'ai jeté sur la terrasse sablée, qu'éclairait la lune, un bracelet d'or que j'avais au bras. Un homme est sorti aussitôt des buissons, l'a ramassé et l'a emporté en courant; mais au même instant j'ai entendu derrière moi la voix de Jacques, et je suis restée stupéfaite. J'ai raconté ce qui venait de m'arriver, et pourtant je n'ai pas osé parler du bracelet. J'ai trouvé ma mystification si complète et si ridicule, que j'ai craint les railleries de Sylvia et peutêtre les reproches de Jacques; car c'est lui qui m'avait donné ce bracelet; son chiffre y est gravé avec le mien, et je suis désespérée de le savoir dans les mains d'un étranger. Plaise à Dieu que ce soit un voleur! J'aurai fait la niaiserie la plus parfaite qu'on puisse faire en lui jetant mes bijoux à la tête; mais le présent de Jacques ira chez le fondeur, et ne servira pas de trophée à quelque impertinent. J'ai seulement raconté que j'avais entendu jouer du hautbois, que j'avais appelé, croyant m'adresser à Jacques, et que j'avais vu fuir un homme qui m'avait semblé à peu près de sa taille et vêtu comme lui. Alors nous nous sommes rappelé l'aventure de ma frayeur dans le grand salon d'été; Jacques a persisté à nier qu'il y fût entré et qu'il se fût diverti à nous écouter. Dans le doute, je n'ai jamais osé parler du baiser que nous avions reçu, Sylvia et moi; pour elle, elle est si distraite et si peu susceptible de s'étonner ou de s'épouvanter de quelque chose, que je gagerais qu'elle ne s'en souvient plus; le fait est qu'elle n'en a rien dit ni à Jacques ni à moi, et que je ne sais que penser de cette singulière et fâcheuse aventure. Pour le bracelet, ce n'est certainement pas Jacques qui l'a ramassé; pour le baiser, j'en doute, car il assure trèssérieusement n'être pas sorti du parc dans ce momentlà. Il est vrai qu'il plaisante quelquefois avec un sangfroid imperturbable, et qu'il s'amuse peutêtre en luimême de ma honte et de mon incertitude.

En attendant que nous sachions ce que signifient ces mauvaises plaisanteries de notre follet, je veux te parler de l'éternelle affaire de la naissance de Sylvia. Estce que tu penses qu'elle serait la soeur de Jacques? Je le pense aussi parfois, mais cette idée m'attriste. Pourquoi alors Jacques m'en faitil un mystère? Me jugetil incapable de garder un secret? Si elle est sa soeur, j'en suis plus jalouse que si elle ne l'était pas; car je gage alors qu'il l'aime plus que moi. Tu te trompes bien, Clémence, si tu crois que je suis capable de cette grossière jalousie qui consisterait à craindre de la part de mon mari une infidélité des sens; ce que je surveille avec envie, ce que j'interroge avec angoisse, c'est son coeur, son noble coeur, ce trésor si précieux, que l'univers devrait me le disputer, et que je n'ose me flatter d'être digne de le posséder à moi seule tout entier. Sylvia est bien plus raisonnable, bien plus courageuse, bien plus instruite que moi; son âge, son éducation et son caractère la rapprochent de Jacques, et doivent établir entre eux une confiance bien mieux fondée. Moi je suis une enfant qui ne sait rien et qui ne comprend guère. Pour les arts et les petites sciences que Sylvia me démontre, il me semble que je ne manque pas d'intelligence; mais quand il est question de la science du coeur, je n'y comprends plus rien, et je ne conçois même pas qu'il y en ait une; je n'entends rien à leur courage, à leurs principes d'héroïsme et de stoïcisme. Que cela soit fait pour eux, c'est possible; mais que Dieu m'impose la force, à moi, pourquoi faire? J'ai toujours été habituée à l'idée d'obéir par nécessité, et quand j'ai agité en moimême l'aride pensée de l'avenir, je n'ai jamais souhaité d'autre bonheur que d'être protégée, aidée et consolée par l'affection d'un autre. Il me semblait, dans les premiers jours, que mon mariage avec Jacques était la plus parfaite réalisation de ce rêve. D'où vient donc qu'il paraît quelquefois regretter de ne pas trouver en moi son égale? D'où vient que sa protection et sa bonté me font si souvent souffrir?

Jeudi.

Je ne sais que penser de ce qui se passe; je croirais volontiers que Sylvia, avec son nom fantastique, son caractère étrange et son regard inspiré, est une espèce de fée qui attire sous diverses formes le diable autour de nous. Hier, on vint nous dire qu'un sanglier était sorti des grands bois et s'était retiré dans un des taillis de notre vallée. Cette chasse me fit bien un peu peur, non pour moi, qui suis toujours entourée et gardée comme une princesse, mais pour Jacques, qui s'expose à tous les dangers. Sa prudence, son adresse et son sangfroid ne me rassurent pas tout à fait; aussi j'essayai de le détourner de la pensée de lui donner l'assaut; mais Sylvia sautait de joie à l'idée de frapper la bête et de donner cours à son humeur énergique et un peu féroce, à ce que nous prétendons. En une demiheure nous fûmes habillées pour la chasse; nos chevaux furent prêts; les piqueurs, les chiens et les cors étaient déjà en avant. Sylvia montait un petit cheval arabe trèsfringant que je n'ai jamais osé monter, et aussitôt que je vis comme elle s'en faisait obéir, elle quia beaucoup moins de principes d'équitation que moi, j'en fus toute jalouse et toute boudeuse. Elle s'amusait à me dépasser, à caracoler dans des chemins étroits et dangereux, où les excellentes jambes de sa monture faisaient miracle. J'ai une trèsbelle et bonne jument anglaise; mais je suis si poltronne, et j'exige d'un cheval tant de soumission et de tranquillité, que j'étais loin de briller comme Sylvia, et qu'elle m'éclipsait aux yeux de Jacques. «Je parie, me ditelle comme nous entrions dans le taillis, que tu meurs d'envie à présent d'être à ma place?» Elle ne pouvait pas deviner plus juste. «Eh bien, me ditelle, changeons vite de cheval, et que Jacques te voie sur son cher Chouiman au moment où il s'y attend le moins.» Nous étions seules avec deux domestiques; Sylvia avait déjà sauté à terre et tenait Chouiman par la bride, avant qu'un des deux butors qui nous accompagnaient eût songé à quitter l'étrier. Au même instant, le sanglier, débusqué par les chiens, vint droit à nous et passa à trois pas de moi sans songer à attaquer personne; mais le cheval arabe eu peur, se cabra et faillit renverser Sylvia, qui s'obstinai à ne pas lui lâcher la bride. Alors un homme qui me semblait être un de nos piqueurs, car il était vêtu à peu près comme eux, sortit de je ne sais où, et retint le cheval prêt à s'échapper. Je n'avais plus aucune envie de l'essayer. Cet homme aida Sylvia à remonter; mais aussitôt qu'elle fui en selle, et comme il lui présentait sa bride, elle lui cingla les doigts de sa cravache, en disant: Ah! ah! d'une manière qui semblait exprimer la surprise et la moquerie. L'inconnu disparut comme il était venu au milieu des branches, et je demandai à Sylvia, avec une avide curiosité, ce que cela signifiait. «Oh! rien réponditelle, un piqueur maladroit qui m'a écorché la main avec ses bons offices.Et tu cravaches un homme pour cela? lui disje.Pourquoi non?» ditelle. Puis elle repartit au galop, et je fus forcée de la suivre, assez peu satisfaite de cette explication, et au moins trèsétonnée des manières de Sylvia avec les piqueurs de mon mari. Je demandai aux domestiques le nom de cet homme; ils me dirent qu'ils ne l'avaient jamais vu.

La chasse nous occupa pendant plusieurs heures, et Sylvia semblait ne pas avoir autre chose dans l'esprit. Je l'observais, car je soupçonnais un peu ce revenant d'être quelque amant au désespoir. Ce qui se passa au retour de la chasse me rejette dans de nouvelles incertitudes.

Nous revenions par la traverse aux premières clartés le la lune; c'était une des plus belles soirées que nous ayons eues cette année. Il faisait un peu frais; mais le paysage était si bien éclairé, l'air était si parfumé des plantes aromatiques qui croissent dans les ruisseaux, le rossignol chantait si bien, que j'étais vraiment disposée aux idées romanesques. Jacques proposa de prendre un chemin encore plus court que celui que nous suivions. «Il est assez difficile pour les chevaux, me ditil, et je n'ai pas encore osé t'y conduire; mais puisque tu as eu aujourd'hui un si grand accès de courage que de vouloir essayer Chouiman, tu auras bien celui de descendre au pas un sentier un peu raide.Certainement, lui disje, puisque tu crois qu'il n'y a pas de danger.» Et nous nous mîmes en route dans un ordre trèspittoresque. Un groupe de chasseurs, escorté des limiers et des cors, marchait en tête, portant le sanglier, qui était énorme; les cavaliers venaient ensuite, nous au centre; nous entourions le flanc de la colline d'une ligne noire d'où partait de temps en temps un éclair quand le sabot d'un cheval heurtait le roc. Derrière nous, un autre corps de piqueurs et de chiens suivait lentement, et les fanfares s'appelaient et se répondaient des deux extrémités de la caravane. Quand nous fûmes au plus rapide du sentier, Jacques dit à un des piqueurs de prendre la bride de mon cheval, et de le soutenir pour descendre; puis il proposa à Sylvia de faire une folie. «Une folie? ditelle; lancer nos chevaux d'ici à la plaine?Oui, dit Jacques; je te réponds des jambes de Chouiman si tu ne le contraries pas.Allons!» répondit la mauvaise tête; et, sans écouter mes reproches et mes cris, ils partirent comme la fondre par une pente lisse, mais rapide, qui formait le flanc de la colline. Il me passa une sueur froide par tous les membres, et mon coeur ne reprit le mouvement que quand je les vis arriver sans accident au bas de la pente. Alors je m'aperçus que les cavaliers qui étaient devant étaient allés plus vite que mon cheval guidé par un piéton, et que ceux qui étaient derrière, stupéfaits sans doute de l'audace de Jacques et de Sylvia, s'étaient arrêtés pour les regarder, de manière que je me trouvais seule sur le sentier avec l'homme qui tenait ma bride à une assez grande distance des uns et des autres.

Toutes les histoires de voleurs et de revenants qui m'ont trotté par la cervelle depuis cinq ou six jours me revinrent à l'esprit, et cet homme qui marchait auprès de moi commença à me faire une peur épouvantable. Je le regardais avec attention et ne reconnaissais en lui aucun des piqueurs de mon mari. Il me semblait au contraire reconnaître l'homme mystérieux que Sylvia avait gratifié le matin d'un si joli coup de cravache sur les doigts. Cependant je n'avais pas eu le temps de faire grande attention à son vêtement, et de son visage enfoncé sous un grand chapeau de paille je n'avais vu qu'une barbe noire, qui m'avait paru sentir le brigand d'une lieue. En ce moment, quoiqu'il fût bien près de moi, je le voyais encore moins, parce qu'il était plus bas que moi et que son chapeau me le cachait entièrement; cependant, comme il était paisible et silencieux, je me rassurai peu à peu. Je ne connais pas tous les gardes forestiers et paysans amateurs de la chasse qui viennent, avec la permission de Jacques, s'adjoindre à nous quand ils entendent le son du cor dans la vallée, et que souvent, au retour, mon mari invite à venir se rafraîchir avec ses piqueurs. Presque tous sont vêtus d'une blouse et coiffés d'un chapeau de paille. Le fait est que je commençais à ne plus rien craindre, et à croire Sylvia trèscapable de frapper un piqueur ni plus ni moins qu'un nègre. J'eus donc la hardiesse d'adresser la parole à mon guide, et de lui demander si le chemin ne me permettait pas d'aller seule.» Oh! pas encore!» me réponditil. Le son de sa voix et l'expression presque suppliante de sa réponse étaient si peu d'un piqueur, que la peur me prit de nouveau. Si j'avais le courage de Sylvia, pensaisje, je donnerais un grand coup de cravache à ce brigand, et pendant qu'il se frotterait les doigts d'un air consterné, j'irais en un temps de galop rejoindre les autres chasseurs. Mais outre que je n'oserais jamais, si c'est un vrai domestique, j'aurais fait la chose du monde la plus insolente et la plus singulière. Au milieu de ces réflexions, je vis pourtant que nous approchions sans accident des cavaliers, et au moment où j'allais presser mon cheval avec le talon pour le dégager des mains de l'homme mystérieux, celuici se retourna à demi vers moi, et, élevant le bras, il retroussa la manche de sa blouse. Je vis alors briller quelque chose que je reconnus pour mon bracelet. Je n'eus pas la force de crier, et l'inconnu, lâchant ma bride, resta sur le bord du chemin, en me disant à demivoix ces étranges paroles: «J'espère en vous.» Puis il s'enfonça dans un massif d'arbres, et je m'enfuis au galop plus morte que vive.

Ce qui me tourmente et m'afflige le plus dans tout cela, c'est l'espèce de mystère que la finalité a établi entre moi et cet homme. À présent, je vois tous les inconvénients qui résultent du bracelet, et j'ose moins que jamais en parler à Jacques. S'il allait le chercher et le provoquer en duel! S'il allait m'accuser d'imprudence et de légèreté! Je suis bien malheureuse, car j'ai cru certainement jeter mon bracelet à Jacques luimême; et celui qui l'a reçu croit que je suis une petite personne romanesque, facile à conquérir avec un baiser dans l'obscurité et un air de hautbois. Je suis fâchée à présent de ne lui avoir pas parlé pour lui expliquer ma méprise et lui redemander mon bracelet. Peutêtre me l'eûtil rendu. Mais j'ai perdu la tête, comme je fais toujours dans les occasions où un peu de sangfroid me serait nécessaire. J'ai essayé de savoir ce que Sylvia pense de cet homme. Elle prétend que je suis folle, et qu'il n'y a point d'autre homme dans la vallée que Jacques. Celui que le jardinier a vu est, selon elle, un voleur de fruits; celui qui a joué du hautbois, un comédien ambulant, ou bien un commis voyageur qui aura couché à l'auberge du village, et se sera amusé à sauter le fossé du jardin, afin de se vanter dans quelque estaminet d'avoir eu une aventure romanesque dans son voyage. Quant à l'homme au coup de cravache, elle persiste à dire que c'est un paysan; et je n'ose parler de l'homme au bracelet, car l'idée qu'un commis voyageur ou un musicien ambulant croit avoir reçu ce gage de ma bienveillance, me cause une mortification extrême.

Au fait, quant à cela, l'explication de Sylvia me paraît assez admissible; si je ne craignais de causer quelque malheur, je confierais tout à Jacques, et il irait châtier cet impertinent comme il le mérite. Mais cet homme peut être brave et habile duelliste. L'idée d'engager Jacques dans une affaire de ce genre me fait dresser les cheveux sur la tète. Je me tairai.

XXXIX.

D'OCTAVE A M.

De la vallée de SaintLéon.

Tu m'as souvent dit que j'étais fou, mon cher Herbert, et je commence à le croire. Ce qu'il y a de certain, c'est que je suis fort content de l'être, car sans cela je serais fort malheureux.

Si tu veux savoir où je suis et de quoi je suis occupé, j'aurai quelque embarras à le répondre. Je suis dans un pays où je n'ai jamais mis le pied, que je ne connais pas, où je n'ose marcher que sous un déguisement. Quant à mes occupations, elles consistent à errer autour d'un vieux château, à jouer du hautbois au clair de la lune, et à recevoir de temps en temps un coup de cravache sur les doigts.

Tu as dû être peu surpris de mon brusque départ, quand tu auras su que Sylvia avait quitté Genève un mois auparavant. Tu auras supposé que j'étais allé la rejoindre, et tu ne te seras pas trompé. Mais ce que tu ne supposes certainement pas, c'est que, sans invitation et même sans permission, je me sois mis à courir sur ses traces. Elle a quitté son ermitage du Léman avec la bizarrerie qu'elle met dans toutes ses résolutions, et par suite d'une de ces idées spontanées qui lui viennent au moment où l'on se croit le plus tranquille et le plus heureux des hommes à ses pieds. Étrange créature, trop passionnée ou trop froide pour l'amour, je ne sais, mais, à coup sûr, trop belle et trop supérieure à son sexe pour passer devant les yeux d'un homme sans le rendre un peu fou. Je savais que M. Jacques était marié, et je pensais bien qu'elle était allée s'installer auprès de lui; car, depuis plusieurs mois, elle m'annonçait ce projet chaque fois qu'elle était de mauvaise humeur et qu'elle voulait me désespérer. Mais je ne savais pas si M. Jacques était maintenant en Touraine ou en Dauphiné; car dans l'orgueilleux billet que Sylvia avait laissé pour moi à l'ermitage, elle n'avait pas daigné me dire où elle portait ses pas; c'est donc absolument au hasard que je suis venu ici. Je me suis installé dans la cabane d'un vieux gardechasse avare et sournois, que j'ai choisi pour hôte sur sa mauvaise mine, et qui pour de l'argent m'aiderait à assassiner tous les hommes et à enlever toutes les femmes du pays. C'est donc au milieu des bois que peuvent me chercher tes conjectures, dans la plus romantique vallée du monde, protégé par un déguisement de chasseur braconnier plutôt que vêtu en honnête homme, braconnant en effet sous la protection de mon hôte, et préparant avec lui, tous les soirs, le souper que nous avons conquis les armes à la main; dormant sur un grabat, lisant quelques chapitres de roman à l'ombre des grands chênes de la forêt, hasardant des excursions sentimentales et mystérieuses autour de la demeure de mon inhumaine, ni plus ni moins que le comte Almaviva, et t'écrivant sur un genou, à la lueur d'une torche de résine. Ce qu'il y a de plus ridicule dans tout cela, c'est que je le fais sérieusement, et que je suis vraiment triste et amoureux comme un ramier. Cette Sylvia fait le désespoir de ma vie, et je donnerais un de mes bras pour ne l'avoir jamais rencontrée. Tu la connais assez pour concevoir ce qu'un homme aussi peu charlatan que moi doit avoir à souffrir de ses caprices romanesques et du dédain superbe qu'elle a pour tout ce qui sort du monde idéal où elle s'enferme. Il y a bien un peu de ma faute dans mon malheur. Je l'ai trompée, ou plutôt je me suis trompé moimême en lui faisant croire que j'étais un transfuge de ce mondelà, et que je me sentais capable d'y retourner. Oui, je l'ai cru en effet, et, dans les premiers jours, j'ai été tout à fait l'homme qu'elle devait ou qu'elle pouvait aimer. Mais peu à peu l'indolence et la légèreté de mon caractère ont repris le dessus. La raison m'a fait de nouveau entendre sa voix, et Sylvia m'a semblé ce qu'elle est en effet, enthousiaste, exagérée, un peu folle.

Mais cette découverte ne suffisait pas pour m'empêcher de l'aimer à la passion. L'exagération, qui rend les filles de province si ridicules, rendait Sylvia si belle, si frappante, si inspirée, que c'est là peutêtre son plus grand charme et sa plus puissante séduction. Mais elle l'a reçu de Dieu pour son malheur et pour celui de ses amants, car elle peut se faire admirer, et ne peut persuader. Orgueilleuse jusqu'à la folie, elle veut agir comme si nous étions encore au temps de l'âge d'or, et prétend que tous ceux qui osent la soupçonner sont des lâches et des pervers. Du moment que j'ai vu avec inquiétude la singularité de sa conduite, et que j'ai pris de la jalousie à cause de la liberté de ses démarches, j'ai donc été perdu dans son esprit; et précipité de cette région céleste où elle m'avait fait asseoir avec elle, je suis tombé dans le monde fangeux des humains, où cette belle sylphide n'a jamais daigné poser son pied d'ivoire. De ce moment, notre amour a été une suite de ruptures et de raccommodements. Je me souviens que tu m'as dit, un jour que je te racontais tristement une de ces querelles après la réconciliation: «De quoi te plainstu?» Ah! mon ami, tu peux connaître les femmes; mais tu ne connais pas Sylvia. Avec elle, le moindre tort est de la plus terrible importance, et chaque nouvelle faute creuse une tombe où s'ensevelit une partie de son amour. Elle pardonne, il est vrai; mais ce pardon est pire que sa colère. La colère est violente est pleine d'émotion; le pardon de Sylvia est froid et inexorable comme la mort. En proie à mille soupçons, tourmenté, incertain, tantôt craignant d'être dupe de la plus insigne coquette, tantôt craignant d'avoir outragé la plus pure des femmes, j'ai vécu malheureux auprès d'elle, mais je n'ai jamais eu la force de m'en détacher. Vingt fois elle m'a chassé, et vingt fois j'ai été lui demander ma grâce après avoir vainement essayé de vivre sans elle. Dans les premiers jours de mon bannissement, j'espérais m'applaudir d'avoir recouvré ma liberté et mon repos. Je me laissais aller délicieusement au bienêtre de l'indifférence et de l'oubli. Mais bientôt l'ennui me faisait regretter les agitations et les nobles souffrances de la passion. Je jetais mes regards autour de moi pour chercher un autre amour; mais l'indolence de mon esprit et l'activité de mon caractère m'éloignaient également des autres femmes. Mon caractère me portait à leur préférer la chasse, la pêche, tous ces plaisirs énergiques de la campagne que Sylvia partageait avec moi. Mon esprit s'effrayait de recommencer un apprentissage et de tenter une nouvelle conquête. Et puis quelle femme peut être comparée à Sylvia pour la beauté, l'intelligence, la sensibilité et la noblesse du coeur? Oui, quand je l'ai perdue, je lui rends justice, je m'étonne et m'indigne d'avoir pu soupçonner une femme si grande, et dont la conduite hautaine me prouve à quel point elle était incapable de descendre au mensonge. Mais quand je la retrouve, je souffre de son caractère raide et inflexible, de son humeur violente, de son mysticisme intolérant et de ses exigences bizarres. Elle ne se plie à aucune de mes imperfections; elle ne pardonne à aucun de mes défauts; elle tire argument de tout pour me démontrer à quel point son âme est supérieure à la mienne, et rien n'est plus funeste à l'amour que cet examen mutuel de deux coeurs jaloux et orgueilleux de se surpasser. Le mien se lassait bien vite de cette lutte; j'aurais mieux aimé un amour moins difficile et moins sublime. Sylvia m'accablait de son dédain, et quelquefois me prouvait la pauvreté de mon coeur avec tant de chaleur et d'éloquence, que je me persuadais n'être pas né pour l'amour et que je n'oserais me persuader encore que je suis digne de le connaître. Mais, s'il en est ainsi, pourquoi suisje né, et à quoi Dieu me destinetil en ce monde? Je ne vois pas vers quoi ma vocation m'attire. Je n'ai aucune passion violente, je ne suis ni joueur, ni libertin, ni poète; j'aime les arts, et je m'y entends assez pour y trouver un délassement et une distraction; mais je n'en saurais faire une occupation prédominante. Le monde m'ennuie en peu de temps; je sens le besoin d'y avoir un but, et nul autre but ne m'y semble désirable que d'aimer et d'être aimé. Peutêtre seraisje plus heureux et plus sage si j'avais une profession; mais ma modeste fortune, qu'aucun désordre n'a entamée, m'a laissé la liberté de m'abandonner à cette vie oisive et facile à laquelle je me suis habitué. M'astreindre aujourd'hui à un travail quelconque me serait odieux. J'aime la vie des champs, mais non pas sans une compagne qui me fasse goûter les plaisirs de l'esprit et du coeur, au sein de cette vie matérielle où l'effroi de la solitude me gagnerait bientôt. Peutêtre suisje propre au mariage; j'aime les enfants, je suis doux et rangé, je crois que je ferais un trèshonnête bourgeois dans quelque ville du second ordre de notre paisible Helvétie. Je pourrais me faire estimer comme cultivateur et père de famille; mais je voudrais que ma femme fût un peu plus lettrée que celles qui tricotent un bas bleu du matin au soir. Et moimême je craindrais de m'abrutir en lisant mon journal et en fumant au milieu de mes dignes concitoyens et des pots de bière; presque aussi simples et inoffensifs les uns que les autres.

Enfin, il me faudrait trouver une femme inférieure à Sylvia, et supérieure à toutes celles que je pourrais obtenir, à ma connaissance. Mais, avant tout, il faudrait guérir de l'amour que j'ai pour Sylvia, et c'est une maladie dont mon âme est encore loin d'être délivrée.

Ne sachant que faire, je suis venu ici essayer encore mon destin. D'abord j'avais l'intention de me jeter à ses pieds, comme à l'ordinaire, et puis le caprice m'a pris de l'épier un peu, de consulter l'opinion de ce qui l'entoure, de la connaître, et de la voir enfin sans qu'elle s'en doutât, afin de m'ôter de l'esprit, une fois pour toutes, les soupçons qui m'ont tourmenté si souvent, et qui me tourmenteront peutêtre encore; car Sylvia a un talent extraordinaire pour les faire naître, un mépris profond pour les explications les plus faciles, et moi une pauvre tête qui se crée promptement des tourments cruels. Je n'ai pu obtenir aucune des lumières que je cherchais, car mon impératrice Sylvia n'est ici que depuis trois semaines, et on n'avait jamais entendu parler d'elle dans le pays. Si elle savait que ces idées m'ont passé par la tète, elle ne me pardonnerait jamais; mais elle le saura d'autant moins que le cours de mes observations est à peu près terminé. Hier, elle m'a reconnu sous mon déguisement et m'a accueilli d'une manière fort impertinente. Je serai donc obligé de me montrer. Jacques me connaît et me découvrirait bientôt. Ils riraient peutêtre ensemble à mes dépens, si je ne prenais le parti d'aller en rire moimême avec eux.

Ce Jacques est certes un galant homme, dont le caractère froid et l'extérieur réservé ne m'ont jamais permis beaucoup de familiarité, et contre lequel jusqu'ici je me suis senti d'ailleurs des mouvements de jalousie épouvantables. A présent, j'ai des raisons pour savoir que j'ai été injuste et grossier dans mes soupçons. Mais je lui en veux un peu d'avoir été de moitié dans la fierté superbe avec laquelle Sylvia a refusé longtemps de me rassurer en m'expliquant leur parenté et leurs relations. Je lui en veux aussi d'être pour Sylvia le type de tout ce qu'il y a de plus grand et de plus beau dans le monde, la seule âme digne de voler sur la même ligne que la sienne dans les champs de l'empyrée, en un mot l'objet d'un amour platonique et d'un culte romanesque dont je ne suis plus jaloux, mais qui me cause assez de mortification. Je n'en serai pas moins l'ami et le serviteur de M. Jacques en toute occasion; mais si, avant de lui donner une poignée de main, je pouvais le taquiner un peu et me venger de Sylvia en me montrant épris d'une autre, cela me divertirait.

Pour t'expliquer cette nouvelle folie, il faut que tu saches que M. Jacques a le plus joli joyau de petite femme couleur de rose qu'on puisse imaginer. Moins belle que Sylvia, elle est certainement plus gentille, et, à coup sûr, son âme romanesque à sa manière est moins altière et moins cruelle. J'en ai pour gage un bracelet qui m'a été jeté par une fenêtre avec de trèsdouces paroles, un soir que je croyais adresser à ma tigresse les accents passionnés de mon hautbois. Je suis loin d'être assez fat pour en tirer grande vanité, car je ne sache pas qu'elle ait encore pu voir ma figure, et ce soirlà elle n'avait pas même entrevu mon spectre; c'est donc au son du hautbois, à l'enivrement d'un soir de printemps et à quelque rêve de pensionnaire en vacances qu'elle aura accordé ce gage de protection. Je suis un trop honnête homme et un héros de roman trop maladroit pour abuser sérieusement de cette petite coquetterie; mais il m'est bien permis de faire durer encore le roman pendant quelques jours. J'ai débuté par un baiser, qui peutêtre a laissé quelque émotion dans le coeur de la blonde Fernande, quand elle a su qu'elle avait été embrassée avec Sylvia, dans l'obscurité, par un autre que son mari. Ne me trouvestu pas devenu bien scélérat par dépit, moi qui le suis si peu par nature? Ce soirlà, vraiment, j'étais tout occupé de Sylvia; j'étais entré par une des portes de glace du salon qui donne sur les bosquets du jardin, avec l'intention d aller ouvertement demander pardon à Sylvia des torts que j'ai et de ceux que je n'ai pas. Elles jouaient du piano; il faisait sombre; elles ne s'aperçurent pas de la présence d'un tiers. Je m'assis sur le sofa. Une d'elles vint s'asseoir auprès de moi sans me voir. J'allais la saisir dans mes bras, quand je reconnus au piano la voix de Sylvia. J'écoutai une petite conversation sentimentale qu'elles eurent ensemble, et, au moment où elles me découvrirent, j'embrassai Sylvia, et j'allais parler, lorsque Fernande, me prenant pour son mari et m'entendant embrasser sa compagne, approcha son visage du mien, avec une petite manière d'enfant jaloux à laquelle je t'aurais bien défié de résister. Je ne sais comment, dans l'obscurité, mes lèvres rencontrèrent les siennes. Ma foi! je fus si troublé de cette aventure que je m'enfuis sans leur faire savoir que je n'étais pas Jacques. Depuis ce temps, je sais par mon vieux hôte, qui est l'oncle de Rosette, soubrette de ces dames, que la belle Fernande a des terreurs paniques, et n'entend pas remuer une feuille dans le parc ou trotter une souris dans le château, sans se trouver mal. Rien n'est plus propre à l'audace d'un lutin que les frayeurs et les évanouissements de sa châtelaine; heureusement pour Fernande, je ne suis ni audacieux ni amoureux à ce point.

Mais ces aventures m'amusent et m'occupent; j'ai vingtquatre ans, cela m'est bien permis. Le beau temps, le clair de lune, cette vallée sauvage et pittoresque, ces grands bois pleins d'ombre et de mystère; ce château à mine vénérable, qui est assis gravement sur le doux penchant d'une colline; ces chasseurs qui arpentent la vallée et la font retentir des hurlements des chiens et des sons du cor; ces deux chasseresses, plus belles que toutes les nymphes de Diane, l'une brune, grande, fière et audacieuse, l'autre blanche, timide et sentimentale, montées toutes deux sur des chevaux superbes et galopant sans bruit sur la mousse des bois: tout cela ressemble à un rêve, et je voudrais ne pas m'éveiller.

XL.

DE FERNANDE A CLÉMENCE.

Mardi.

Cette histoire se complique et commence à me causer beaucoup de trouble et de chagrin: J'ai eu grand tort de cacher tout cela à Jacques; mais à présent, chaque jour de silence agrandit ma faute, et je crains réellement ses reproches el sa colère. La colère de Jacques! je ne sais ce que c'est, je ne puis croire qu'il me la fasse jamais connaître; et pourtant, comment un mari peutil apprendre tranquillement que sa femme a reçu d'un autre une déclaration d'amour?

Oui, Clémence, voilà où m'a conduite cette fatale méprise du bracelet. Hier soir, j'étais dans ma chambre avec mes enfants et Rosette; ma fille semblait souffrante et ne pouvait s'endormir. Je dis à Rosette d'emporter la lumière, qui peutêtre l'incommodait. J'étais depuis quelque temps dans l'obscurité avec ma petite sur mes genoux, et je tâchais de l'apaiser en chantant; mais elle ne criait que plus fort, et cela commençait à m'inquiéter, lorsque le son du hautbois s'éleva, de l'autre extrémité de l'appartement, comme une voix plaintive et douce. L'enfant se tut aussitôt et resta comme ravi à l'écouter; pour moi, je retenais ma respiration; la surprise et la peur me rendaient incapable de mouvement. L'inconnu était dans ma chambre, seul avec moi! Je n'osais appeler, je n'osais fuir. Rosette entra comme le hautbois venait de se taire, et s'émerveilla de voir la petite silencieuse et calmée. «Va chercher de la lumière, bien vite, bien vite, lui disje, j'ai une peur épouvantable; pourquoi m'astu laissée seule?Il va falloir que madame reste encore seule, réponditelle, pendant que j'irai chercher la lumière en bas.Ah! mon Dieu! pourquoi n'en astu pas dans ta chambre? lui répondisje. Non! n'y va pas, ne me laisse pas ainsi. N'astu rien entendu, Rosette? Estu sûre qu'il n'y ait personne avec nous dans la chambre?Je ne vois personne que madame, les enfants et moi, et je n'ai entendu que la flûte.Qui estce qui jouait de la flûte?Je ne sais pas; monsieur, apparemment; quel autre dans la maison saurait en jouer!Estce toi qui es là, Jacques? m'écriaije; si c'est toi, ne t'amuse pas à m'effrayer, car je mourrais de peur.» Je savais bien que ce n'était pas Jacques, mais je parlais ainsi pour forcer notre persécuteur à s'expliquer ou à se retirer. Personne ne répondit. Rosette ouvrit les rideaux, et, au clair de la lune, examina tous les recoins de l'appartement sans y découvrir personne. Elle trouvait, sans doute, mes frayeurs bien ridicules, et j'en eus honte moimême; je lui dis d'aller chercher de la lumière, et quand elle fut sortie, j'allai tirer le verrou derrière elle. Mais c'était bien inutile, car l'inconnu entra par la fenêtre. Je ne sais comment il s'y prit, et si de la galerie supérieure il a eu l'audace de se risquer sur ma persienne, ou si, à l'aide d'une échelle, il sera venu d'en bas; le fait est qu'il entra aussi tranquillement que dans la rue. La colère me donna des forces, et je m'élançai devant le berceau de mes enfants, en criant au secours; mais il s'agenouilla au milieu de la chambre, en me disant d'une voix douce: «Comment estil possible que vous ayez peur d'un homme qui voudrait pouvoir vous prouver son dévouement en mourant pour vous?Je ne sais qui vous êtes, Monsieur, lui répondisje d'une voix tremblante; mais, à coup sûr, vous êtes bien insolent d'entrer ainsi dans ma chambre; partez, partez! que je ne vous revoie jamais, ou j'avertirai mon mari de votre conduite.Non, ditil en se rapprochant, vous ne le ferez pas; vous aurez pitié d'un homme au désespoir.» Je vis en ce moment le bracelet, et l'idée me vint de le redemander. Je le fis d'un ton d'autorité et en jurant que j'avais cru le jeter à mon mari. «Je suis prêt à vous obéir en tout, ditil d'un air résigné; reprenezle, mais sachez que vous me reprenez le seul honneur et le seul espoir de ma vie.» Alors il s'agenouilla de nouveau tout près de moi et me tendit son bras. Je n'osais reprendre moimême le bracelet; il eût fallu toucher sa main ou seulement son vêtement, et je ne trouvais pas cela convenable. Alors il crut que j'hésitais, car il me dit: «Vous avez compassion de moi, vous consentez à me le laisser, n'estce pas, ô ma chère Fernande!» Et il saisit ma main, qu'il baisa plusieurs fois trèsinsolemment. Je me mis à crier, et des pas se firent entendre aussitôt dans la galerie voisine; mais avant que l'on eût le temps d'entrer, l'inconnu avait disparu, comme un chat, par la fenêtre.

Jacques et Sylvia frappèrent alors à la porte, que j'avais fermée au verrou et que je ne songeais plus à ouvrir, tout en leur criant d'entrer au nom du ciel. Cette circonstance du verrou, qui se trouvait fatalement liée à l'entrée d'un homme dans ma chambre, m'empêcha de raconter ce qui s'était passé; je dis que j'avais entendu le hautbois, que j'avais envoyé Rosette chercher de la lumière, qu'elle m'avait enfermée par mégarde; que j'avais cru entendre du bruit dans ma chambre et que j'avais perdu la tête. Comme on me tient pour folle de peur, on ne m'en demanda pas davantage. Rosette assura bien avoir entendu le hautbois en traversant la galerie, on fit quelques recherches dans la maison et dans le jardin. On ne trouva personne, et on décréta, en riant, qu'on ferait venir un piquet de gendarmerie pour me garder. Sylvia alla chercher le dolman et le shako de Jacques, et s'en affubla avec de fausses moustaches; elle se planta ainsi derrière moi le sabre en main, affectant de suivre tous mes pas par la chambre pour me servir d'escorte. Elle était jolie comme un ange avec ce costume. Nous avons ri jusqu'à minuit, et le reste de la nuit s'est passé fort tranquillement. Mais mon esprit est bien agité! Je sens que je suis engagée dans une aventure folle et imprudente, qui peutêtre aura des suites fatales. Fasse te ciel qu'elles retombent toutes sur moi seule!

Jeudi.

Je viens de recevoir le billet suivant, qui a été remis à Rosette par son oncle le gardechasse: «Belle et douce Fernande, ne soyez pas irritée contre moi, et ne vous méprenez pas sur les motifs de ma conduite. Vous pouvez me sauver du malheur éternel et me rendre le plus heureux des amis et des amants; j'aime Sylvia, et j'en ai été aimé. Je ne sais par quel crime irréparable j'ai perdu sa confiance et mérité sa colère. Je ne renoncerai à elle qu'avec la vie; et j'espère en vous, en vous seule. Vous avez une âme aimante et généreuse, je le sais; je vous connais plus que vous ne pensez. Le bracelet que vous avez cru jeter à voire mari et que je vous rendrai, si vous ne l'accordez à la sainte amitié d'un frère, est à mes yeux un gage de confiance et de salut. Pardonnezmoi de vous avoir effrayée; j'espérais pouvoir vous parler en secret; je vois que cela sera impossible si vous ne m'accordez vousmême cette grâce; et vous me l'accorderez, n'estce pas, bel ange aux cheveux blonds? Votre mission sur la terre est de consoler les infortunés. J'irai vous attendre ce soir sous le grand ormeau des quatre sentiers, à l'entrée du ValBrun; faitesvous accompagner, si vous voulez, d'une personne sûre, mais que ce ne soit pas votre mari. Il me connaît, et je me flatte de posséder son estime et son amitié; mais en ce momentci il m'est contraire, et si vous ne travaillez à me justifier, je n'ai aucun espoir de rentrer en grâce. Si vous ne venez pas, je déposerai votre bracelet sous la pierre du grand ormeau; vous l'y ferez prendre; mais il sera teint du sang «D'OCTAVE.»

Qu'en pensestu? que doisje faire? Mais à quoi sert de te le demander? Tu ne me répondras que dans huit jours, et il faut qu'avant ce soir j'aie pris un parti. Accorder un rendezvous à ce jeune homme, surtout quand je sais que Jacques n'est pas dans ses intérêts, pour le réconcilier avec Sylvia, c'est une grande imprudence peutêtre selon le monde; selon ma conscience je n'y vois pourtant aucun mal. S'il y a des inconvénients, il n'y en a que pour moi, qui risque de déplaire à Jacques et d'encourir ses reproches, tandis que je puis rendre, si je réussis, un service à Sylvia et à Octave, peutêtre assurer le bonheur de leur vie entière; car il n'est pas de bonheur sans l'amour. Sylvia cache en vain son chagrin; je vois maintenant pourquoi ses pensées sont si noires et son avenir si sombre à ses yeux. Si elle a pu aimer ce jeune homme, il doit être audessus du commun et avoir une belle âme; car Sylvia est bien exigeante dans ses affections, et trop fière pour avoir jamais pu s'attacher à un être qui n'en eût pas été digne. Je vois bien maintenant qu'elle a reconnu son amant dans le chasseur qu'elle a si bien corrigé de l'envie d'être prévenant avec elle, et je vois aussi, dans ce coup de cravache, accompagné d'un silence si complet sur sa découverte, plus de moquerie malicieuse que de véritable colère. Je parie qu'elle meurt d'envie qu'on amène son ami à ses genoux; il est impossible qu'il en soit autrement; cet Octave l'aime à la folie, puisqu'il fait des choses si extraordinaires pour la retrouver. Il a une figure charmante, du moins à ce qu'il m'a semblé quand je l'ai entrevu dans ma chambre au clair de la lune. Jacques est sévère et inexorable, il traite trop Sylvia comme un homme; il ne devine pas les faiblesses du coeur d'une femme, et ne comprend pas, comme moi, ce que son courage doit cacher d'ennui et de souffrance. Si je refuse d'aider cette réconciliation, c'en est peutêtre fait de son bonheur; peutêtre se condamneratelle à une éternelle solitude; et ce jeune homme, s'il allait se tuer en effet! Je l'en croirais assez capable; il semble véritablement épris.

Que faire? Je n'ose me décider à rien; heureusement j'aurai le temps d'y penser d'ici à ce soir.

Milton Keynes UK
Ingram Content Group UK Ltd.
UKHW030848250823
427479UK00010B/351